孟繁华

主编

诗歌

卷

新中国文学
经典丛书
精选本

作家出版社

出版说明

中国当代文学经过70多年的探索、创作，逐渐形成了具有中国特色和经验的文学世界。这个世界丰富、绚丽、迷人，不仅从一些方面表达了当代中国的思想、情感和精神面貌，而且已经成为世界文学重要的组成部分。为了展示中国文学的巨大成就，进一步树立文化自信和文学自信，我们特别策划了这套具有一定规模的"新中国文学经典丛书·精选本"。

丛书共计十二卷，包含小说（中短篇）、诗歌、散文、报告文学、戏剧五个文学门类，其中短篇小说两卷、中篇小说六卷、诗歌一卷、散文一卷、报告文学一卷、戏剧一卷。在时间上，所选均是1949年新中国成立之后所发表或出版的优秀文学作品。在版式编排上，统一按照当前规范要求，采用简体字横排方式，字词用法也遵照当前最新标准规范。

丛书邀请著名评论家孟繁华担任主编。入选丛书的作品经过了专家论证委员会的认真评审，专家评审从文学性、思想性、时代性等多方面进行综合考察，选取了各个时期、各个体裁最具代表性的作家作品。正是这些作家作品，构筑了中国当代文学最为坚实和亮丽的文学大厦，在一定意义上，它们就是一部特殊形态的中国当代文学史，代表了新中国文学70多年所取得的不凡成就。

文学是时代的一面镜子，通过这套大型丛书，读者一方面可以了解和领略中国当代文学的发展历程和高端成就，满足精神文化发展的需求；也可以更好地了解新中国成立70多年来我们党和人民所走过的光辉道路，了解我们的祖国所发生的翻天覆地的变化。鉴古知今，面向未来，更好地投身于实现中华民族伟大复兴中国梦的新征程中去。

需要特别说明的是，尽管在篇目的遴选上，我们经过了认真的论证和反复的研究，但关于作品优劣的认定和选择的标准见仁见智，正所谓一千个读者眼中有一千个哈姆雷特，每个人心中都有自己认为优秀的作品。因此，这套书仅仅代表的是面对新中国70多年文学成就的一种眼光、一个角度。同时，由于丛书体量有限，遗珠之憾在所难免，恳请读者朋友理解并谅解，同时更盼批评指正。

作家出版社
2023年1月

目录

新华颂

郭沫若

一

人民中国，屹立亚东。

光芒万道，辐射寰空。

艰难缔造庆成功，

五星红旗遍地红。

生者众，物产丰，

工农长做主人翁。

二

人民品质，勤劳英勇。

巩固国防，革新传统。

坚强领导由中共，

无产阶级急先锋。

现代化，气如虹，

国际歌声入九重。

三

人民专政，民主集中。
光明磊落，领袖雍容。
江河洋海流新颂，
昆仑长耸最高峰。
多种族，如弟兄，
千秋万岁颂东风。

1949年9月20日

《人民日报》1949年10月1日

我们最伟大的节日

何其芳

一

中华人民共和国

在隆隆的雷声里诞生。

是如此巨大的国家的诞生，

是经过了如此长期的苦痛

而又如此欢乐的诞生，

就不能不像暴风雨一样打击着敌人，

像雷一样发出震动世界的声音……

二

多少年代，多少中国人民

在长长的黑暗的夜晚一样的苦难里

梦想着你，

在涂满了血的荆棘的路上

寻找着你，

在监狱中或者在战场上

为你献出他们的生命的时候

呼喊着你，

多少年代，多少内外的敌人

用最恶毒的女巫的话语

诅咒着你，

用最顽强的岩石一样的力量

压制着你，

在你开始成形的时候

又用各种各样的阴谋诡计

来企图虐杀你。

你新的中国，人民的中国呵，

你终于在旧中国的母体内

生长，壮大，成熟，

你这个东方的巨人终于诞生了。

三

终于过去了

中国人民的哭泣的日子，

中国人民的低垂着头的日子；

终于过去了

日本侵略者使我们肥沃的土地上长着荒草，

使我们肚子里塞着树叶的日子；

终于过去了

美国吉普车把我们像狗一样在街上轧死，

美国大兵在广场上强奸我们妇女的日子；

终于过去了

中国最后一个黑暗王朝的统治！

四

蒋介石，帝国主义和封建主义杂交而生的蒋介石，

现代中国人民的灾难的代名词，

他用血来吓唬我们，

他把中国人民的血染遍了中国的土地。

但中国人民并没有被征服。

前年十月，

毛泽东指挥我们开始大进军，

并颁布了一连十五个"打倒蒋介石"的口号。

那是中国人民在心中郁结了许多年的仇恨。

那是最能鼓舞我们前进的动员令。

我们打过了黄河，打过了长江，

蒋介石匪帮

就像兔子一样逃跑，惊慌。

毛泽东，我们的领导者，我们的先知！

他叫我们喊出打倒日本帝国主义，

日本帝国主义就被我们打倒了！

他叫我们喊出打倒蒋介石，

蒋介石就被我们打倒了！

他叫我们驱逐美帝国主义出中国，

美帝国主义就被我们驱逐出去了！

都打倒了，都滚蛋了，都崩溃了，

所有那些驶行在我们内河里的外国的军舰，

所有那些捆绑着我们的条约、法律，

所有那些臭虫，所有那些鹰犬！

虽说他们现在还窃据着几小块土地，

像打破了船以后抓着几片木板。

很快就要被人民战争的波涛所吞没了！

毛泽东呵，

你的名字就是中国人民的力量和智慧！

你的名字就是中国人民的信心和胜利！

五

毛泽东向世界宣布：

中华人民共和国诞生了。

毛泽东向世界宣布：

我们已经站起来了，

我们再也不是一个被人侮辱的民族了。

欢呼呵！歌唱呵！跳舞呵！

到街上来，

到广场上来，

到新中国的阳光下来，

庆祝我们这个最伟大的节日！

六

北京和延安一样充满了歌声。

五星红旗在这绿色的城市中上升。

密集的群众的海洋：

无数的旗帜在掌声里飘动

就像在微风里颤动的波浪。

在毛泽东主席的面前

我们的海军走过，

我们的步兵走过，

我们的炮兵走过，

我们的战车走过，

我们的骑兵走过，

我们的空军在天空中飞行，

群众的队伍从广场上绕到

毛泽东主席的面前来喊着：

"毛主席万岁！"

毛泽东主席回答着：

"同志们万岁！"

这是何等动人的欢呼！

这是何等动人的领袖与群众的关系！

跳跃着喊！

舞动着两个手臂喊！

站在主席台下望着毛泽东主席不愿离开地喊！

把这个古老的城市喊得变成年轻！

把旧社会留给我们身上的创伤和污秽

喊掉得干干净净！

举着红灯的游行的队伍河一样流到街上。

天空的月亮失去了光辉，星星也都要躲藏。

呵，我们多么愿意站在这里欢呼一个晚上！

我们多么愿意在毛泽东的照耀下

把我们一生献给我们自己的国家！

七

让我们更英勇地开始我们的新的长征！

我们已经走完了如此艰辛的第一步，

还有什么能够拦阻

毛泽东率领的队伍的浩浩荡荡的前进！

1949年10月初，北京

有的人

——纪念鲁迅逝世十三周年有感

臧克家

有的人活着

他已经死了；

有的人死了

他还活着。

有的人

骑在人民头上："呵，我多伟大！"

有的人

俯下身子给人民当牛马。

有的人

把名字刻入石头，想"不朽"；

有的人

情愿做野草，等着地下的火烧。

有的人

他活着别人就不能活；

有的人

他活着为了多数人更好地活。

骑在人民头上的

人民把他摔垮；

给人民做牛马的

人民永远记住他！

把名字刻入石头的

名字比尸首烂得更早；

只要春风吹到的地方

到处是青青的野草。

他活着别人就不能活的人，

他的下场可以看到；

他活着为了多数人更好地活着的人，

群众把他抬举得很高，很高。

《新民报·萌芽》1949年11月1日

时间开始了（节选）

胡　风

第一乐章：欢乐颂

时间开始了——

毛泽东

他站到了主席台的正中间

他站在飘着四面红旗的地球面的

中国地形正前面

他屹立着像一尊塑像……

掌声和呼声静下来了

这会场

静下来了

好像是风浪停息了的海

只有微波在动荡而过

只有微风在吹拂而过

一刹那通到永远——

时间

奔腾在肃穆的呼吸里面

跨过了这肃穆的一刹那

时间！时间！

你一跃地站了起来！

毛泽东，他向世界发出了声音

毛泽东，他向时间发出了命令

"进军！"

掌声爆发了起来

乐声奔涌了出来

灯光放射了开来

礼炮像大交响乐的鼓声

"咚！咚！咚！"地轰响了进来

这会场

一瞬间化成了一片沸腾的海

一片声浪的海

一片光带的海

一片声浪和光带交错着的

欢跃的生命的海

海

沸腾着

它涌着一个最高峰

毛泽东

他屹然地站在那最高峰上

好像他微微俯着身躯

好像他右手握紧拳头放在前面

好像他双脚踩着一个

巨大的无形的舵盘

好像他在凝视着流到了这里的

各种各样的河流

毛泽东

他屹然地站在那最高峰上

好像他在向着自己

也就是向着全世界宣布：

让带着泥沙的流到这里来

让浮着血污的流到这里来

让沾着尸臭的流到这里来

让千千万万的清流流到这里来

也让千千万万的浊流流到这里来

我是海

我要大

大到能够

环抱世界

大到能够

流贯永远

我是海

要容纳应该容纳的一切

能澄清应该澄清的一切

我这晶莹无际的碧蓝

永远地

永远地

要用它纯洁的幸福光波

映照在这个大宇宙中间

海在沸腾

毛泽东

他屹然地站在那最高峰上

那不是挥动巨掌

击落着无数飞箭

而奔驰前进的

火焰似的列宁的姿势

那不是斩掉了一切毒瘤以后

重量和力量的凝合体

泰山石敢当的

钢柱似的斯大林的姿势

毛泽东

列宁、斯大林的这个伟大的学生

他微微俯着身躯

好像正要迈开大步的

神话里的巨人

在紧张地估计着前面的方向

握得紧紧的右手的拳头

抓住了无数的中国河流

他劝告它们跟着他前进

他命令它们跟着他前进

诗人但丁

当年在地狱门上写下了一句金言：

"到这里来的，

一切希望都要放弃！"

今天

中国人民的诗人毛泽东

在中国新生的时间大门上面

写下了

但丁没有幸运写下的

使人感到幸福

而不是感到痛苦的句子：

"一切愿意新生的

到这里来吧

最美好最纯洁的希望

在等待着你！"

祖国

伟大的祖国呵

在你忍受灾难的怀抱里

我所分得的微小的屈辱

和微小的悲痛

也是永世难忘的

但终于到了今天

今天

为了你的新生

我奉上这欢喜的泪

为了你的母爱

我奉上这感激的泪

祖国，我的祖国

今天

在你新生的这神圣的时间

全地球都在向你敬礼

全宇宙都在向你祝贺

雷声响起了

轰轰轰地在你头上滚动

雨点打来了

哗哗哗地在你头上飘舞

祖国呵

为了你

全宇宙都在欢唱

这大自然的交响乐

那么雄伟又那么慈和

漂流在这一片生命的海上

我感到了你巨大的心房

在激烈地鼓动

梦幻的我的眼睛

朝向了右边一瞥

看见了一个老人的侧脸

他的头发像一蓬秋草

他的胡子钢一样翘着

激动得张开着的嘴巴

忘记了动作

我感到了

他的额头上在冒着热汗

我感到了

在我看不到的他的眼睛里面

在燃烧着火焰

我的战友

我的兄弟

我看见了你!

你在臭湿的牢房垂死过

你在荒野的乡村冻饿过

你和穷苦的农民一道喂过虱子

你和勇敢的战友一道喝过血水

你受过了千锤百炼

你征服了痛苦和死亡

这中间

多少年多少年了

但你的希望活到了今天

你的意志活到了今天

今天

激动着你的此刻

你忘记了过去的一切吧

但过去的一切

使你纯真得像一个婴儿

仿佛躺在温暖的摇篮里面

洁白的心房充溢着新生的恩惠

你也感到了

这摇撼着雷雨的大交响的抚慰吧

那是催生歌

也是催眠曲

我梦幻的心

荡漾着一片醉意

越过你的侧脸

飘忽地回到了七月一日的狂风暴雨下面

好猛烈的狂风暴雨

好甜蜜的狂风暴雨

夹着雷声

飞着电火

倾天覆地而来了

被你吹着淋着

是三万个战斗的生命

用歌声迎接你

用欢笑迎接你

用舞蹈迎接你

因为

只有你这响彻天地的大合奏

只有你这湿透发肤的大洗礼

才能满足这神圣的生日所怀抱的大

　　欢喜

圆形的大会场

像一个浮在大宇宙中间的地球

整列在那边缘上的

湿透了的无数红旗

飘舞得更响更欢

好像在歌唱

飘舞得更红更鲜

好像是跳跃着的火焰

被它们照临着的

三万颗战斗的心

被暴雨洗过

被狂风吹着

也更响更欢

也更红更鲜

突然

那个克服了艰险的历程

走到了胜利的战列前行的钢人

中断了他的发言

用着只有那么镇定

才能表现他所感到的光荣的声音宣

　　布了：

——我们的毛主席来到！

三万个激动的声音

欢呼了起来

好像是从地面飞起的暴雨

三万个激动的面孔

转向了一边

好像是被大旋风吹向着一点

三万个激动的心

拥抱着融合着

汇成了掀播着的不能分割的海面

圆形海面的边缘

整列着

湿透了的无数红旗

飘舞得更响更欢

好像在歌唱

飘舞得更红更鲜

好像是跳跃着的火焰

它们歌唱着

朝向一点

它们跳跃着

朝向一点

三万个战斗的生命

每一个都在心里告诉自己：

——毛主席，毛主席，他在这里！

——毛主席，毛主席，他和我们在一起！

他在这里

在他正对着的那一边

矗立着四幅巨像

——马克思、恩格斯、列宁、斯大林

劳动人类的四颗伟大的心脏

人类福音的四面神圣的旗子

四幅巨像

前面放射着灯光

正对着他们天才的学生毛泽东

和三万个战斗的生命

所汇成的海面

四幅巨像

背后是无际的天空

黑沉沉的远方

雷声还在隐隐地滚动

电火还在一闪一闪地飞现

四幅巨像

被这大自然的交响乐伴奏着

使我们和大宇宙年青的生命融合在一起

使我们和全地球未完的战斗连结在一起

一刹那通到无际……

一刹那通到无际——

今天

毛泽东

他站在这里

头上

轰轰的雷声在滚动

哗哗的雨声在歌唱

掀播着这声浪和光带交错着的

又一个生命的海

海

掀搏着

涌着一个最高峰

毛泽东

他屹然地站在那里

他背后的地球形上

照临着碧蓝的天空

梦幻的我的眼睛

又看见了

那四幅巨像

矗立着

若隐若现

那碧蓝的亮光中间

好像飞来了雷声的隐隐滚动

好像射来了电火的一闪一闪

毛泽东！毛泽东！

由于你

我们的祖国

我们的人民

感到了太空的永生的呼吸

受到了全地球本身的战斗的召唤

毛泽东

你屹然地站在最高峰上

你感到了那个呼吸

你听到了那个召唤

你微微俯着身躯

你坚定地望着前面

前面

是那个唯一的方向

前面

是无数河流汇合之点

你两脚踩着无形的巨大的舵盘

你坚定地望着望着

那上面闪现过了什么呢？

闪现过了一个面影：

赤裸着身子

被绑着送向法场

在英勇地喊着口号吗？

闪现过了一个面影：

被装在麻袋里面

抛到了河里

传来了一声水响吗？

闪现过了一个面影：

双脚被捆了起来

由烈马倒拖着

奔驰而过吗？

闪现过了一个面影：

在草地里陷了下去

儿童的脑袋沉没了

双手还在抓扑吗？

闪现过了一个面影：

在雪山边坐了下来

即刻僵冻住了

定在那里永远不动吗？

闪现过了一个面影：

为了不让敌人发现

用母亲的战栗的手扣住幼儿的咽喉

望着他僵冷下去了吗？

闪现过了一个面影：

抱着炸药包

冲到碉堡底下

让身体和它同时粉碎了吗？

闪现过了一个面影：

把飞舞的红旗插上了敌人阵地

身里的热血同时喷了出来

在旗杆旁边倒下了吗?

一颗挂在电线柱子上的头颅

闪现过了吗?

一具倒毙在暗牢里的尸体

闪现过了吗?

一个埋进土里的半截身子

闪现过了吗?

······

他们

你的战友

你的兄弟

你的同志

艰险的时候想到你

忍苦的时候想到你

受刑的时候想到你

献命的时候想到你······

今天

在祖国新生的温暖怀抱里

他们复活了

踏着雄壮的步子

现出欢喜的笑容

亮着温爱的目光

举起健康的手臂

蜂群似的来了

浪潮似的来了

来了来了

来向你欢呼

来向你致敬

来向你祝贺

毛泽东！毛泽东！

中国第一个光荣的布尔塞维克

他们的力量

汇集着活在你的身上

你抓住了无数的河流

他们的意志

汇集着活在你的心里

你挑起了这一部历史

毛泽东！毛泽东！

中国大地最无畏的战士

中国人民最亲爱的儿子

你微微俯着巨人的身躯

你坚定地望着前面

随着你抬起的手势

大自然的交响乐涌出了最高音

全人类的大希望发出了最强光

你镇定地迈开了第一步

你沉着的声音像一响惊雷——

"全人类四分之一的中国人从此站立起来了!"

《人民日报》1949年11月20日

诗歌卷

夜莺飞去了

闻 捷

带走了迷人的歌声

年轻人走了

眼睛传出留恋的心情

夜莺飞向天边

天边有秀丽的白桦林

年轻人翻过天山

那里是金色的石油城

夜莺飞向蔚蓝的天空

回头张望着另一只夜莺

年轻人爬上油塔

从彩霞中瞭望心上人

夜莺怀念吐鲁番

这里的葡萄甜，泉水清

年轻人爱故乡

故乡的姑娘美丽又多情

夜莺还会飞回来的
那时候春天第二次降临
年轻人也要回来的
当他成为一个真正矿工

《人民文学》1955年第3期

中国的道路呼唤着汽车

邵燕祥

你可知道中国有多少条道路——

穿行高山，横渡大河，

联结着三家村和万家灯火的城市，

联结着车站和码头，

联结着工厂、仓库、合作社，绕过牧民的帐篷、农民的门口，

又从你脚下伸过；

你可认得这些道路——

像树干生出枝丫，

像胳膊挽着胳膊，

像头发，像蛛网。

交织在山谷，在平原，

在又像山谷又像平原的高原上；

在那穷年累月没见过好车马的山野，

你可看见有一条新的道路通过——

它负载着农具、肥料和纸张，

还有粮食、棉麻、甜菜和山货；

在那环海的公路旁边，

海浪泼溅着陡峭的岩岸，

你可看见海防的战士等待着粮秣和子弹！

你可曾走过这些道路？

你可曾听到道路在呼唤？

它们都通到第一汽车制造厂，

对我们建设者大声地说：

——我们需要汽车！

我们满怀着热情，

大声地告诉负重的道路：

——我们要让中国用自己的汽车走路：

我们要把中国架上汽车，

开足马力，掌稳方向盘，

一日千里、一日千里地飞……

《人民文学》1954年12月

西盟的早晨

公 刘

我推开窗子，

一朵云飞进来——

带着深谷底层的寒气，

带着难以捉摸的旭日的光彩。

在哨兵的枪刺上

凝结着昨夜的白霜，

军号以激昂的高音，

指挥着群山每天最初的合唱……

早安，边疆！

早安，西盟！

带枪的人都站立在岗位上

迎接美好生活中的又一个早晨……

《人民文学》1954年12月

金色的海螺

阮章竞

我记得是在芭蕉林里，

跟邻家婆婆学唱儿歌。

我学会一个又学一个，

天天都装满两只耳朵。

这个金色海螺的童话，

现在还唱得一点不差。

如果问我那时候几岁，

反正很小还没有换牙。

一

在大海的那边，

有过一个少年，

他没有父母，

他没有远亲。

一年三百六十个早晨，

他从来不肯贪睡懒觉。

不管大海涨潮和退潮，

天天比太阳起得都早。

他带着鱼网，

来到海滩上。

他撒下了鱼网，

朝着大海唱歌：

"大海睡醒了，

绿绸被子似的海水蹬动了。

东方要亮了，

鱼肚白般的青光泛起来了。

看那一堆一堆的白泡沫，

多像一簇一簇的素馨花。

太阳娘娘在海底洗脸了，

一会就洒出金红的彩霞。"

年年都有十二个月，

不管天冷还是天热，

他天天用好听的歌，

把太阳娘娘来迎接。

有一天，中午了，

海潮刚退了，

海风不吹了，

海不呼啸了。

大海平，平得像绿野，

平得像铺着一张芭蕉叶。

那些调皮捣蛋的小金星，

在蓝色的海面上忽明忽灭。

少年收起了鱼网，

吹着清清的哨声。

他走过闪光的沙滩，

沙滩留下了很多脚坑。

少年忽然看见，

一片金光闪亮，

有一条红色金鱼，

搁浅在白沙滩上。

小银嘴，一张一合，

红金鳃，一鼓一收。

那个闪着银光的肚子，

没有气力地一动一抽。

天上的日头晒呀！

海边的沙子煎呀！

一只贪嘴的黑老鸦，

拍着翅膀飞过来啦！

小生命，永不能，

再回到蓝海里去翻腾！

小生命，永不能，

再回到蓝海里见亲朋！

多可怜，多可怜，

眼看让老鸦啄成碎片！

少年捧起了小金鱼，

飞身跑向海水边。

轻轻地把金鱼放进水里，

轻轻地帮助金鱼游泳。

他长久地等着等着，

他长久地没有笑容。

时间很慢很慢地走着，

小鱼尾慢慢地会摆了。

时间很慢很慢地走着，

小金翅慢慢地会动了。

小银嘴会吐出小泡泡，

小金鱼被救活过来，

再三地望了望少年，

才慢慢地游进大海。

二

头一天那样过去了，

第二天又这样来了。

这个少年人的歌声，

像树叶一样在海水上漂：

"太阳娘娘呀，

出来吧，出来吧！

拨开蓝色的海浪，

放出金红的朝霞……"

他撒下了补结的鱼网，

从海水里往沙岸上拖。

没有大鱼也不见小虾，

只有一个金色的海螺。

唉唉！他长叹了一口气，

又把鱼网撒到大海里去。

没有心思看看金色的海螺，

远远地扔进蓝色的海里。

他又拽其鱼网的网绳，

从海水里往沙岸上拖。

没有大鱼也不见小虾，

又是那个稀奇的海螺。

唉唉！他泄气地躺在海滩，

忍受着饥饿的折磨。

海螺悄悄地爬到他的手上，

一阵一阵的金光闪烁。

少年无意地托起海螺，

惊奇地发现它的美丽：

像雨后晴天的彩虹，

在他的手里闪来闪去。

少年把海螺带回家去，

养在一个清水缸里。

他拿了网针和麻绳，

在柳荫下补结网子。

太阳落山了，

肚子饿扁了。

拿什么来填肚子呀？

唉唉！少年愁死了！

少年走进了大门，

闻到一阵一阵的香味。

一桌好吃的饭菜，

惹得他直咽口水。

谁家请客弄错了地方？

还是自己走错了家门？

难道是饿得做起梦来？

还是饿得两眼看不清？

看屋里，只有他自己，

跑门外，没有第二个影子。

他只好坐在门坎上看守着，

等弄错了地方的人来搬去。

一更、二更都看守过去了，

少年遇到的是件苦差事：

好饭越放越冒气越发香，

肚肠像打转转的车轮子。

肚饥不容人再讲客气，

吃饱了好饭再讲道理。

香香甜甜地睡个好觉，

明天早起来，好好去打鱼。

第二天，少年又去打鱼，

回来坐在柳荫补结网子。

补好了网子回到家里，

又有一桌好吃的饭食。

肚饥不容人再讲客气，

吃了也就是这么回事。

香香甜甜地睡个好觉，

明天早起来，好好去打鱼。

第三天，少年照样去打鱼，

回来坐在柳荫补结网子。

补好了网子回到家里，

又有一桌好吃的饭食。

少年填饱了肚肠，

想想是怎么回事。

要是请客该有主人，

送错也不会好几次。

少年想了一个整夜，

没有想出一个头绪。

白白地吃了三天好饭，

实在叫少年过意不去。

这一天，少年又去打鱼，

但是他很早就收了鱼网。

他爬上了屋背后的老榆树，

从老榆树爬上屋顶的天窗。

看见一团五彩的光环，

罩着一个美丽的姑娘。

她穿着月光似的衣衫，

她的头发好像早上的阳光。

她在替少年打扫屋子，

她在替少年整叠衣裳，

她在替少年洗刷杯盘，

她在替少年做菜煮饭。

少年高兴得像长了双翅膀，

轻轻松松地在天空里飞翔。

他推开了天窗跳下房去，

很有礼貌地问那个姑娘：

"你是谁家的女儿？

你是哪里来的姑娘？

你要是错进了人家，

我愿送你去要去的地方！"

美丽的姑娘轻轻地微笑，

柔和地闪动那明亮的眼光，

慢慢地理着那阳光似的头发，

说话像淙淙的泉水流淌：

"我家住在大海的那边，

父亲姓海我叫海螺，

我愿意跟你做个朋友，

能天天跟你学唱好歌。"

"我愿意跟你做成朋友，

我愿意天天和你唱歌。

可是我家这样地穷苦，

又是个没爹没娘的孤儿！"

"我不求着绿穿红，

也不求有朱门大院，

只要有个好心的朋友，

比砂糖拌饭还要清甜。

我不求金银珠宝，

只求有个劳动的朋友。

留下我，留下我吧，

请你不要把我赶走。"

海螺手蒙住了眼睛，

好像月亮遇到了乌云。

少年怎能够忍心听着，

海螺呜呜咽咽的声音。

"我从来没有流过眼泪，

只有今天却红了眼睛。

从我说完这句话以后，

你就是我家的一个人。"

少年跑出门去，

采野花，割草兰，

野花铺成百花床，

草兰织成青纱帐。

月亮光，穿过了天窗，

屋子里像银粉撒满地上。

少年甜甜地睡在木床上，

海螺香香地躺在花床上。

三

头一个月那样过去了。

第二个月又这样来了。

第二年那样过去了。

第三年又这样来了。

月亮光，穿过了天窗，

屋子里像银粉撒满地上。

少年甜甜地睡在木床上，

海螺悄悄地哭得好心伤！

一针针，替少年缝补衣衫，

一件件，替少年叠好衣裳，

她一次再一次走到少年身边，

摸着少年的头发轻轻地歌唱：

"这是最末了的一宵！

泱泱雄鸡你慢些叫！

求求天公你慢些亮，

让我在这里再留一留！

这是最末了的一宵！

我不能不和你告别了！

我要是今天不回大海！

明天的高山要变成海礁！

这是最末了的一宵!

你睡醒觉来不要惊叫!

不要上山寻找下水捞!

我和你是永远分离了!"

海螺的歌声,

像山谷里流水的声音。

少年惊醒了,

急问姑娘为什么伤心。

"不要问,请不要问!

这里有你换的衣衫,

这里有你吃的米粮,

别想我,当作没有过这个人!"

"我有什么瞒了你?

我有什么骗了你?"

海螺连连摇头,

两行眼泪两边流。

"那为什么你要这样说:

你我永远不能再相见?

你是天上的云彩?

还是地上的炊烟?"

"我不是天上的云彩,

也不是地上的炊烟,

我是三年前的小金鱼,

我是蓝海里的女仙。

为了报答你的一片好心,

我偷跑到人间整整三年。

水晶宫里，寻找我三整天，

要再不回去，人间遭水淹！"

少年紧紧抓住海螺的胳膊，

生怕她从自己的手里逃脱。

苦苦地求有个什么法子，

能摆脱这场天大的灾祸。

"只有一条风险的路儿可走，

但是可怕得不是人能忍受。

可怕的风险你都能忍受，

你也不再会认我做朋友！"

"什么风险我都不怕，

什么苦头我都能忍受。

不管你跑到哪块天边，

我也要陪伴在你的左右。"

从心里掏出来的言语，

使海螺不能忍心离去。

把金螺壳交给了少年，

叫他藏在深深的山里。

"我的螺壳不在这里，

大海水就冲不上来。

你到珊瑚岛见我的母亲，

求求她不要把我们分开。"

四

少年照着海螺的吩咐，

连夜把螺壳藏在山上。

坐上渔船划进黑黑的大海，

大海忽然掀起可怕的风浪。

少年拼命地划船，

海浪拼命地阻挡。

前头的大浪迎头泼过来，

后头的大浪冲进了船舱。

"黑暗"说话：你不回头，

我要把你连船埋在大海！

"暴风"说话：你不回头，

我要把你的身体撕开！

"大浪"说话：你不回头，

我要把你的小船撞碎！

少年回答：你要夺走我的海螺，

我要把大海倒吊起来！

少年照着海螺指定的方向，

撞破了暴风，

压碎了大浪，

向大海猛冲。

少年在黑黑的大海里，

远远地看见一团红光在升高。

从大山似的浪峰顶上，

远远地出现了珊瑚仙岛。

海神娘娘立在岩上，

射着恼怒的目光。

两条凶恶的鳄鱼护兵，

立刻捉住少年的臂膀。

"你拐骗走我的海螺，

又敢闯来我的海岛。

你的牛性脾气和大胆，

风浪早已经向我报告。"

"我们是好得不能分离，

海螺绝不是拐骗得来。

我大胆地来求求娘娘，

不要把我们活活地拆开！"

"你想要什么我给什么，

只是不能妄想我的海螺。

你回去三天之后，

不心足再来见我。"

鳄鱼放开了少年，

连船带人抛进海去。

等少年回头一望，

不知仙岛搬去哪里。

少年穿过了风浪，

少年爬上了海岸，

少年向家门飞奔，

屋子已经变了样：

茅草屋，变成一座华丽的房子，

家里什么都是金的银的。

海螺没有一些些笑容，

但是很有礼貌地接他进去。

海螺祝贺他的胜利，

今后可以万事如意，

可以拿很多的金银，

娶个更好看的妻子。

"请把螺壳还给我吧！

我后天要回到海里。

求你别再向大海唱歌，

我就不会大声地哭啼！"

少年生怕海螺走了，

守着海螺寸步不离。

少年陪守住海螺，

三天就这样过去。

三个整天就那样过去，

第三个黑夜就这样来了。

少年又坐着小船划进大海，

在更可怕的风浪里漂流。

"黑暗"怒叫：你还不回头，

我要把你困死在大海！

"暴风"大喊：你还不回头，

我要把你的嘴巴吹歪！

"大浪"乱冲：你还不回头，

我要把你的鼻子撞下来！

少年回答：你要夺走我的海螺，

我要把大海撕成碎块！

少年突过了黑暗，

少年冲过了风浪，

找到那团远远的红光，

靠近珊瑚岛的岩岸。

海神娘娘立在岩石上，

闪着生气的目光。

那两条鳄鱼护兵，

立刻抓住少年的臂膀。

"你不还给我的海螺，

还敢再闯来我的仙岛。

你要嫌我给你的太少，

你要多少我就给你多少。"

"我们是好得不能分开，

我不是来这里做买卖。

我只是喜欢我的海螺，

金山银树我也不爱。"

"好看的姑娘可以给你，

只是不给你留下海螺。

你回去三天之后，

不心足再来见我。"

海神娘娘十分生气，

叫鳄鱼把他抛下海去。

少年挣扎着回头一看，

珊瑚仙岛早没有影子。

少年穿过了海浪，

少年爬上了海岸，

少年向家里飞奔，

海螺已经变了模样。

脸蛋像叠成的布条，

眼角像长出了草根，

头发已经变成灰色，

嘴巴都爬满了皱纹。

海螺哭着告诉少年，

她受着魔法的折磨：

"如果我再不回到大海，

三天后，就是干死的老太婆！"

第二天，海螺更老了，

乌黑的头发全白了，

齐整的白牙全掉了，

第三天，躺在床上不动了。

第三夜，狂风大浪，

卷上海岸，漫上山岗。

少年痛苦地猛划着小船，

更可怕的风浪层层拦挡。

"黑暗"发怒：你还不死心，

我要把你埋葬在大海！

"暴风"狂喊：你还不死心，

我要把你的眼睛吹瞎！

"大浪"猛掀：你还不死心，

我要把你的骨头打碎！

少年大声回答：不还我活海螺，

我要把水晶宫砸成小块块！

少年突破了黑暗，

少年冲破了风浪，

找见那团远远的红光，

找见威严的海神娘娘。

少年走上了珊瑚仙岛，

恼怒地双手叉住两腰。

海神娘娘倒是十分客气，

脸上堆满了胜利的微笑。

"海螺已经老死了，

留着不怕别人取笑？

我有成千个美丽的仙女，

由你来选，任你来挑。"

海神娘娘扬起了衣袖，

一群仙女往仙岛飞飘。

每副脸蛋都像出海的朝霞，

每双眼睛都像会说会笑。

少年看见了这群仙女，

的确和海螺难分高低。

可是他一想起自己的海螺，

就没有一个叫他称心如意。

"哪一个比海螺低些?

哪一个比海螺差些?

为什么把老死的海螺,

当作春天花、夜明月?"

"我不爱金银也不爱珠宝,

什么也比不上海螺好。

只要你还我的活海螺,

我不管她年青和年老!"

"你这个后生实在固执,

年青的不要要老太婆!

别以为我会向你低头,

大海水,能善也能恶!"

海神娘娘把衣袖一摆,

黑浪向少年卷过来。

那两条凶恶的鳄鱼,

立刻把少年抓起来。

"你不还回海螺,

你就别想逃脱!

只要你答应一声,

我就把你轻轻地放过!"

黑浪像铁链条一样,

在少年身上抽打。

狂风像尖刀子一样,

在少年的脸上狠拉。

"你就是乱鞭抽!

你就是乱刀割!

你就是端上水晶宫,

我也不换我的海螺!"

海神娘娘笑容满面,

把鳄鱼喝退在两边。

把滔天的风浪挥退,

赞扬这个真心的少年:

"你赢了,你赢了!

赞美你的大胆和坚定,

赞美你对海螺的真诚,

你赢得了我女儿的爱情。"

海神娘娘赠给少年一颗明珠,

还带给海螺一顶美丽的珠冠,

叫少年合上双眼,

叫清风送回海岸。

少年随风飘飘荡荡,

风平才敢睁开眼睛望:

自己甜甜地睡在木床上,

海螺微笑地躺在花床上。

海螺跟从前仍是一模一样。

美丽的头上戴着美丽的珠冠。

少年看见自己的手心,

一颗明珠在闪闪放光。

蓝蓝的大海水,

蓝蓝的水上天。

素馨花似的浪沫，

永远不断地涌在海边。

一年这样过去了，

少年成了两个孩子的父亲；

三年这样过去了，

海螺成了四个孩子的母亲。

邻家婆婆教我唱这支儿歌，

我一字没掉唱过好几百回。

到底以后他们有多少个孩子，

唉！就这最后一句没有学会。

《人民文学》1955年第11期

在云彩上面

雁 翼

我们的工地，在云彩中间，

我们的帐篷，就搭在云彩上面；

上工的时候，我们腾云而下，

下工的时候，我们驾云上天。

白天，我们和云雀一起歌唱，

画眉鸟也从云下飞上山巅；

夜里，我们和星斗一起谈笑，

逗引得月亮也投来笑颜。

当我们过节的时候，

在云上演剧，跳舞；

当我们开庆祝会的时候，

摘下朵朵云霞，挂在英雄的胸前。

当我们饿了的时候，

砍下云上的松枝烧饭；

当我们口渴的时候，

就痛饮云上的清泉。

当炎热的季节到来，

云上的松树给我们撑伞；

当寒冷的冬季来临，

我们砍下云上的松枝，把篝火点燃。

篝火的青烟升入高空，

带着我们的欢笑飞过群山；

它告诉我们亲爱的祖国，

你的儿女战斗在云彩上面。

1955年11月29日于雨嚎山下

《西南文艺》1956年5月号

诗歌卷

回延安

贺敬之

一

心口呀莫要这么厉害地跳，

灰尘呀莫把我眼睛挡住了……

手抓黄土我不放，

紧紧儿贴在心窝上。

几回回梦里回延安，

双手搂定宝塔山。

千声万声呼唤你

——母亲延安就在这里！

杜甫川唱来柳林铺笑，

红旗飘飘把手招。

白羊肚手巾红腰带，

亲人们迎过延河来。

满心话登时说不出来，

一头扑进亲人怀。

二

二十里铺送过柳林铺迎，

分别十年又回家中。

树梢树枝树根根，

亲山亲水有亲人。

羊羔羔吃奶眼望着妈，

小米饭养活我长大。

东山的糜子西山的谷，

肩膀上的红旗手中的书。

手把手儿教会了我，

母亲打发我们过黄河。

革命的道路千万里，

天南海北想着你……

三

米酒油馍木炭火，

团团围定炕上坐。

满窑里围得不透风，

脑畔上还响着脚步声。

老爷爷进门气喘得紧：

"我梦见鸡毛信来——可真见亲人……"

亲人见了亲人面，

欢喜的眼泪眼眶里转。

"保卫延安你们费了心，

白头发添了几根根。"

团支书又领进社主任，

当年的放羊娃如今长成人。

白生生的窗纸红窗花，

娃娃们争抢来把手拉。

一口口的米酒千万句话，

长江大河起浪花。

十年来革命大发展，

说不尽这三千六百天……

四

千万条腿来千万只眼，

也不够我走来也不够我看！

头顶着蓝天大明镜，

延安城照在我心中：

一条条街道宽又平，

一座座楼房披彩虹；

一盏盏电灯亮又明，

一排排绿树迎春风……

对照过去我认不出了你，

母亲延安换新衣。

五

杨家岭的红旗啊高高地飘，

革命万里起浪潮！

宝塔山下留脚印，

毛主席登上了天安门！

枣园的灯光照人心，

延河滚滚喊"前进"！

赤卫军，青年团，红领巾，

走着咱英雄几辈辈人……

社会主义路上大踏步走，

光荣的延河还要在前头！

身长翅膀吧脚生云，

再回延安看母亲！

1956年3月9日，延安

《延河》1956年6月号

沁园春·雪

毛泽东

北国风光，千里冰封，万里雪飘。

望长城内外，唯余莽莽；

大河上下，顿失滔滔。

山舞银蛇，原驰蜡象，

欲与天公试比高。

须晴日，看红装素裹，分外妖娆。

江山如此多娇，引无数英雄竞折腰。

惜秦皇汉武，略输文采；

唐宗宋祖，稍逊风骚。

一代天骄，成吉思汗，

只识弯弓射大雕。

俱往矣，数风流人物，还看今朝。

《诗刊》1957年1月

草木篇

流沙河

寄言立身者，勿学柔弱苗。

——唐·白居易

白杨

她，一柄绿光闪闪的长剑，孤零零地立在平原，高指蓝天。也许，一场暴风会把她连根拔去。但，纵然死了吧，她的腰也不肯向谁弯一弯！

藤

他纠缠着丁香，往上爬，爬，爬……终于把花挂上树梢。丁香被缠死了，砍作柴烧了。他倒在地上，喘着气，窥视着另一株树……

仙人掌

她不想用鲜花向主人献媚，遍身披上刺刀。主人把她逐出花园，
也不给水喝。在野地里，在沙漠中，她活着，繁殖着儿女
……

梅

在姐姐妹妹里，她的爱情来得最迟。春天，百花用媚笑引诱蝴
蝶的时候，她却把自己悄悄地许给了冬天的白雪。轻佻的蝴
蝶是不配吻她的，正如别的花不配被白雪抚爱一样。在姐姐
妹妹里，她笑得最晚，笑得最美丽。

毒菌

在阳光照不到的河岸，他出现了。白天，用美丽的彩衣，黑夜，
用暗绿的磷火，诱惑人类。然而，连三岁孩子也不去理睬他。
因为，妈妈说过，那是毒蛇吐的唾液……

《星星》1957 年第 1 期

雪落满了你黑色的大氅

——普希金纪念像前

严 辰

雪落满了你黑色的大氅，

雪落满了你鬈曲的两鬓；

低着头你沉思什么?

竟忘记了冬夜彻骨的寒冷!

在回忆高加索的流浪生活?

或者怀念乡间别墅秋天的黄昏?

一个新的火花在眼前闪耀，

一个新的思潮在胸中沸腾。

谁在你脚边呈献一束鲜花?

带着悠远的芳香无限的尊敬;

是温柔的泰姬雅娜?

是有了自己祖国的茨冈人?

你的预言早已实现，

全俄罗斯响遍了你的七弦琴；

它超越了时间和空间，

飞过一个国境又一个国境。

你将不会感到寂寞，

到处有你的读者，你的知音；

陪伴你度尽这寒夜的，

还有远方来的异国的诗人！

1956 年 11 月 18 日

《诗刊》1957 年 3 月

葬歌

穆 旦

1

你可是永别了，我的朋友？
我的阴影，我过去的自己？
天空这样蓝，日光这样温暖，
在鸟的歌声中我想到了你。

我记得，也是同样的一天，
我欣然走出自己，踏青回来，
我正想把印象对你讲说，
你却冷漠地只和我避开。

自从那天，你就病在家中，
你的任性曾使我多么难过；
唉，多少午夜我躺在床上，
辗转不眠，只要对你讲和。

我到新华书店去买些书，
打开书，冒出了熊熊火焰，
这热火反使你感到寒栗，
说是它摧毁了你的骨干。

有多少情谊，关怀和现实
都由眼睛和耳朵收到心里；
好友来信说："过过新生活！"
你从此失去了新鲜空气。

历史打开了巨大的一页，
多少人在天安门写下誓语，
我在那儿也举起手来；
洪水淹没了孤寂的岛屿。

你还向哪里呻吟和微笑？
连你的微笑都那么寒碜，
你的千言万语虽然曲折，
但是阴影怎能碰得阳光？

我看过先进生产者会议，
红灯，绿彩，真辉煌无比，
他们都凯歌地走进前厅，
后门冻僵了小资产阶级。

葬歌

我走过我常走的街道，

那里的破旧房正在拆落，

呵，多少年的断瓦和残椽，

那里还萦回着你的魂魄。

你可是永别了，我的朋友？

我的阴影，我过去的自己？

天空这样蓝，日光这样温暖，

安息吧！让我以欢乐为祭！

2

"哦，埋葬，埋葬，埋葬！"

"希望"在对我呼喊，

"你看过去只是骷髅，

还有什么值得留恋？

他的七窍流着毒血，

沾一沾，我就会瘫痪。"

但"回忆"拉住我的手，

她是"希望"的仇敌；

她有数不清的女儿，

其中"骄矜"最为美丽；

"骄矜"本是我的眼睛，

我真能把她舍弃？

"哦，埋葬，埋葬，埋葬！"
"希望"又对我呼号，
"你看她那冷酷的心，
怎能再被她颠倒？
她会领你进入迷雾，
在雾中把我缩小。"

幸好"爱情"跑来援助，
"爱情"融化了"骄矜"：
一座古老的牢狱，
呵，转瞬间片瓦无存；
但我心上还有"恐惧"，
这是我慎重的母亲。

"哦，埋葬，埋葬，埋葬！"
"希望"又对我规劝，
"别看她的满面皱纹，
她对我最为阴险：
她紧保着你的私心，
又在你头上布满
使你自幸的阴云。"

但这回，我却害怕：

"希望"是不是骗我?

我怎能把一切抛下?

要是把"我"也失掉了,

哪儿去找温暖的家?

"信念"在大海的彼岸,

这时泛来一只小船,

我遥见对面的世界

毫不似我的从前;

为什么我不能渡去?

"因为你还留恋这边!"

"哦,埋葬,埋葬,埋葬!"

我不禁对自己呼喊。

在这死亡的一角,

我过久地漂泊,茫然;

让我以眼泪洗身,

先感到忏悔的喜欢。

3

就这样,像只鸟飞出长长的阴暗甬道,

我飞出会见阳光和你们,亲爱的读者;

这时代不知写出了多少篇英雄史诗,

而我呢,这贫穷的心! 只有自己的葬歌。

没有太多值得歌唱的：这总归不过是

一个旧的知识分子，他所经历的曲折；

他的包袱很重，你们都已看到；他决心

和你们并肩前进，这儿表出他的欢乐。

就诗论诗，恐怕有人会嫌它不够热情：

对新事物向往不深，对旧的憎恶不多。

也就因此……我的葬歌只算唱了一半，

那后一半，同志们，请帮助我变为生活。

《诗刊》1957年5月

鞍山行

公　木

我把组织部的介绍信揣在内衣的口袋里，
像一只巨大的手捂住我突突跳的心口。
肃肃然走出东北局大楼长长的走廊，
我看见门岗同志黑色的眼睛里闪着油光。

太阳从密排的街树梢上探过头，
满脸淌着大汗向我热烈地招手。
花花绿绿喜气洋洋的拥挤的人群，
踏着大秧歌的舞步迎面走来。
汽车低吼，电车高鸣，马拉车发出辚辚的声响，
还有那铿锵地敲着铜锣的颜色鲜艳的货摊，
以及嘈杂的叫贩和音调清脆柔和的卖花女郎，
为我欢乐地合奏一阕祝贺的乐章。

是的，螺丝钉——无论摆在什么地位，
都一定旋得紧紧的，牢固、坚实。
运转着的整部机器发出呼隆呼隆的声音，

都将给它以震荡，并引起金属的回应。

但是，我仍然这样兴奋，这样激动——
当我修满了两头沉和皮转椅的苦功，
当我结束了黑砚汁和蓝墨水的航行，
当我绕出了以黑板和书橱砌成的无尽长的胡同。

啊，我沿着宽广的大街行进，
瞪起眼睛望着前方，
像一个第一次走近校门的刚满学龄的儿童，
像一个驰赴婚宴的年轻的新郎……

是谁嘘着温暖的气息低唱在我的耳根：
快些，再快些，迈开三尺长的阔步，
奔向前去啊，以你的全部爱情和忠诚——
在那里，火热的心和钢铁正一齐沸腾。

面对任何困难，挽起袖子来！
锤炼，才能发出声音和光彩。
而你，也将像钢铁一样灼热，
而你，也将像钢铁一样鲜红。

挥起十丈长的铁扫帚，
扫掉那一层层的结在记忆中的蜘蛛网，
连同那些粘在网上的发霉的尘土，

都彻底打扫净光！

那些由于自私而变矮的人形，
那些由于忌妒而歪斜的眼睛，
那些由于猜疑和作伪而患梦游症的灵魂……
像泼掉一盆泛着肥皂沫的洗脸水，滚它们的吧！

你理应骄傲，而且感到幸福，
因为你生长在毛泽东的阳光普照的国度。
当人们的理想已经化作彩霞从东方升起，
降落在花枝和草叶上的夜霜哪能不消融？

头上洒满阳光，高高挺起前胸，
我听着这亲切的低唱伴着那祝贺的乐章。
这歌声越唱越嘹亮，越唱越激昂，
最后，它变成一阵飓风把我卷上天空。
我脚下像踏着厚厚的厚厚的浮云，
我的心口突突地突突地跳着。
我伸手插进内衣的口袋里，摸了又摸
那被胸脯熨得发烫的组织部的介绍信。

1951年10月，沈阳

《诗刊》1957年6月

致以石油工人的敬礼

李 季

向茫茫的荒原，

向遥远的戈壁，

向那些——

用双脚丈量祖国大地的勘探队员，

昼夜迎风挺立在钻台上的钻工兄弟，

坚守在冰冻的油井旁的采油工人，

在崎岖的泥路上奔忙的汽车司机，

我呀，向你们

致以石油工人的敬礼！

我们用可以流淌成河的汗水，

赛过坚钢硬铁般的毅力，

为祖国写下了第一部

辉煌的石油工业的历史。

"贫油"的谬论，

被你们的铁掌彻底粉碎了；

你们用豪迈的脚步，

踏上了一条自力更生的坦途。

石油工人

没有辜负祖国的期望，

昨天的誓言，

今天已经变成现实：

摘掉石油工业的落后帽子，

把它远远甩到东洋大海里！

就像在战争的年代，

每一个胜利都要用鲜血换取；

今天你们的每一张红色喜报，

都和那些苦仗、硬仗紧相联系。

头顶蓝蓝的万里长空，

脚踩富饶的山河大地。

那时候，黑云阵阵压顶来，

你们呀，迎着困难闯上去。

高举着党的三面红旗，

随身携带着两件武器：

一台钻机，

一部《毛泽东选集》。

你们把自己看作是冲锋陷阵的战士，

把矿区变成了覆地翻天的大战区。

一场恶战接着一场苦战，

一个胜利接着一个更大的胜利。

战斗中，显示了

你们是工人阶级的硬骨头；

你们代表着

六亿中国人民的志气。

我们光荣的战斗业绩，

又一次向所有的人宣告：

我们的三面红旗光辉无比，

毛泽东的思想就是胜利！

向茫茫的荒原，

向遥远的戈壁，

我呀，

向那些为祖国创立功勋的英雄，

——光荣的铝盔战士们，

致以石油工人的敬礼！

1957年

雾中汉水

蔡其矫

两岸的丛林成空中的草地；

堤上的牛车在天半运行；

向上游去的货船

只从浓雾中传来沉重的橹声，

看得见的

是千年来征服汉江的纤夫

赤裸着双腿倾身向前

在冬天的寒水冷滩喘息……

艰难上升的早晨的红日，

不忍心看这痛苦的跋涉，

用雾巾遮住颜脸，

向江上洒下斑斑红泪。

1957年

《长江文艺》1958年第2期

望星空

郭小川

(1)

今夜呀，

我站在北京的街头上。

向星空瞭望。

明天哟，

一个紧要任务，

又要放在我的双肩上。

我能退缩吗？

只有迈开阔步，

踏万里重洋；

我能叫嚷困难吗？

只有挺直腰身，

承担千斤重量。

心房呵，

不许你这般激荡！……

此刻呵，

最该是我沉着镇定的时光。

而星空，

却是异样地安详。

夜深了，

风息了，

雷雨逃往他乡。

云飞了，

雾散了，

月亮躲在远方。

天海平平，

不起浪，

四围静静，

无声响。

但星空是壮丽的，

雄厚而明朗。

穹隆呵，

深又广，

在那神秘的世界里，

好像竖立着层层神秘的殿堂。

大气呵，

浓又香，

在那奇妙的海洋中，

仿佛流荡着奇妙的酒浆。

星星呵，

亮又亮，

在浩大无比的太空里，

点起万古不灭的盏盏灯光。

银河呀，

长又长，

在没有涯际的宇宙中，

架起没有尽头的桥梁。

呵，星空，

只有你，

称得起万寿无疆！

你看过多少次：

冰河解冻，

火山喷浆！

你赏过多少回：

白杨吐绿，

柳絮飞霜！

在那遥远的高处，

在那不可思议的地方，

你观尽人间美景，

饱看世界沧桑。

时间对于你，

跟空间一样——

无穷无尽，

浩浩荡荡。

望星空

（2）

呵，

望星空，

我不免感到惆怅。

说什么：

身宽气盛，

年富力强！

怎比得：

你那根深蒂固，

源远流长！

说什么：

情豪志大，

心高胆壮！

怎比得：

你那阔大胸襟，

无限容量！

我爱人间，

我在人间生长，

但比起你来，

人间还远不辉煌。

走千山，

涉万水，

登不上你的殿堂。

过大海，

越重洋，

饮不到你的酒浆。

千堆火，

万盏灯，

不如一颗小小星光亮。

千条路，

万座桥，

不如银河一节长。

我游历过半个地球，

从东方到西方。

地球的阔大幅员，

引起我的惊奇和赞赏。

可谁能知道：

宇宙里有多少星星，

是地球的姊妹星！

谁曾晓得：

天空中有多少陆地，

能够充作人类的家乡！

远方的星星呵，

你看得见地球吗？

—— 一片迷茫！

远方的陆地呵，

你感觉到我们的存在吗？

——怎能想象！

生命是珍贵的，

为了赞颂战斗的人生，

我写下成册的诗章；

可是在人生的路途上，

又有多少机缘，

向星空瞭望！

在人生的行程中，

又有多少个夜晚，

见星空如此安详！

在伟大的宇宙的空间，

人生不过是流星般的闪光。

在无限的时间的河流里，

人生仅仅是微小又微小的波浪。

呵，星空，

我不免感到惆怅，

于是我带着惆怅的心情，

走向北京的心脏……

(3)

忽然之间，

壮丽的星空，

一下子变了模样。

天黑了，

星小了，

高空显得暗淡无光，

云没有来，

风没有刮，

却像有一股阴霾罩天上。

天窄了，

星低了，

星空不再辉煌。

夜没有尽，

月没有升，

太阳也不曾起床。

呵，这突然的变化，

使我感到迷惘，

我不能不带着格外的惊奇，

向四围寻望：

就在我的近边，

在天安门广场，

升起了一座美妙的人民会堂；

就在那会堂的里面，

在宴会厅的杯盏中，

斟满了芬芳的友谊的酒浆；

就在我的两侧，

在长安街上，

挂出了长串的灯光；

就在那灯光之下，

在北京的中心，

架起了一座银河般的桥梁。

这是天上人间吗？

不，人间天上！

这是天堂中的大地吗？

不，大地上的天堂。

真实的世界呵，

一点也不虚妄；

你朴质地描述吧，

不需要做半点夸张！

是谁说的呀——

星空比人间还要辉煌？

是什么人呀——

在星空下感到忧伤？

今夜哟，

最该是我沉着镇定的时光！

是的，

我错了，

我曾是如此地神情激荡！

此刻我才明白：

刚才是我望星空，

而不是星空向我瞭望。

我们生活着，

而没有生命的宇宙，

既不生活也不死亡。

我们思索着，

而不会思索的穹隆，

总是露出呆相。

星空哟，

面对着你，

我有资格挺起胸膛。

(4)

当我怀着自豪的感情，

再向星空瞭望。

我的身子，

充溢着非凡的力量。

因为我知道：

在一切最好的传统之上，

我们的队伍已经组成，

犹如浩荡的万里长江。

而我自己呢，

早就全副武装，

在我们的行列里，

充当了一名小小的兵将。

可是呵，

我和我的同志一样，

决不会在红灯绿酒之前，

神魂飘荡。

我们要在地球与星空之间，

修建一条走廊，

把大地上的楼台殿阁，

移往辽阔的天堂。

我们要在无限的高空，

架起一座桥梁，

把人间的山珍海味，

送往迢遥的上苍。

真的，

我和我的同志一样，

绝不只是"自扫门前雪"，

而是定管"他人瓦上霜"。

我们要把长安街上的灯光，

延伸到远方；

让万里无云的夜空，

出现千千万万个太阳。

我们要把广漠的穹隆，

变成繁华的天安门广场，

让满天星斗，

全成为人类的家乡。

而星空呵，

不要笑我荒唐!

我是诚实的,

从不痴心妄想。

人生虽是暂短的,

但只有人类的双手,

能够为宇宙穿上盛装;

世界呀,

由于人的生存,

而有了无穷的希望。

你呵,

还有什么艰难,

使你力不可当?

请再仔细抬头瞭望吧!

出发于盟邦的新的火箭,

正遨游于辽远的星空之上。

《人民文学》1959 年 11 月

月下的练江

严 阵

月下的练江，一条金链，

白雾里飞出了一队小船，

它像一群低飞的水鸟，

静静地穿过了重叠的茶山。

船夫们用竹篙抵着沙滩，

船篷里的火光一闪一闪，

船夫呵，天色已经这么晚，

为什么还不泊下你的船？

船夫捧起江水洗了洗脸，

抬手指着隐约的远山：

歌声和新茶早把山谷填满，

这么好的月光，我怎肯停船？

船的咿呀声由近而远，

江水静了，船影渐渐不见，

只有那股茶香久久地留在江上，

月下的练江，一条金链。

《诗刊》1959年6月

芭蕾舞素描

陈敬容

一九五九年十月，乌兰诺娃来北京参加我国国庆十周年盛典，并多次公演芭蕾舞，盛况空前。

是空中飞舞的羽毛？

是海面漂浮的水藻？——这般轻盈！

万千种形态都被你摄取，

忽而像流水，忽而又宛若行云。

你舞姿凝定的一瞬，

仿佛最美的雕像抽去了重量；

你每一次高举、轻扬，

衣裙飘散着柔和的芬芳。

欢乐在你的舞步里笑出了声音，

青春、美梦，纯真的爱情，

为理想而高歌，同死亡的搏斗，

一袭轻纱顿时间重似千斤。

当你的双臂微颤地垂下，

眉宇间又载着多少悲伤；

你足尖的一扬，手指的一点，

组成无声的乐章，无字的诗行……

扑着雪白的、雪白的翅膀，

越过西伯利亚，来到节日的北京，

你还要飞向大小城市，工厂、农村，

把美和友谊带给跃进的人民。

《诗刊》1961 年 3 期

悬崖边的树

曾 卓

不知道是什么奇异的风

将一棵树吹到了那边——

平原的尽头

临近深谷的悬崖上

它倾听远处森林的喧哗

和深谷中小溪的歌唱

它孤独地站在那里

显得寂寞而又倔强

它的弯曲的身体

留下了风的形状

它似乎即将倾跌进深谷里

却又像是要展翅飞翔……

《诗刊》1979年9期

一月的哀思

——献给敬爱的周总理

李 瑛

一

我不相信

一九七六年的日历，

会埋着个这样苍白的日子；

我不相信

死亡竟敢和他的生命，

连在一起；

我不相信

迎风招展的红旗，

会覆盖他的身躯；

我只相信

即使把他交给火，

也不会垂下辛勤的双臂。

但，千山默哀，

万水波息，

微茫里，却传来

无尽的哀乐，

哽咽的汽笛。

声音，

这样悲切，

却又这样有力，

——似飓风掠过大海，

——似冷雨抽打大地。

报纸，披着黑纱，

电波，浸着泪滴；

每盏灯，都像红肿的眼睛，

每颗心，都在哀悼伟大的战士：

回来吧，总理，

我们敬爱的周总理！

人民，怎能没有你！

革命，怎能没有你！

且忍住裂心的剧痛，

一任那泪眼迷离。

我要做一只小小的花圈，

献给敬爱的周总理。

但是，该把它放在何处？

几十年，你走遍大地，

偌大的国土啊，

哪里能容下它，

和我这一点赤诚的心意？

啊，今天，

追念你——会受迫害，

哀悼你——将遭通缉，

我这小小的花圈呀，

只能把它悄悄地放在

我的并不宽敞的家里，

放在你的遗像前，

我想，这就是——

放在长天漠漠的风雪中，

放在黄河不息的涛声里；

放在旗飞鼓响的战场，

放在万木吐绿的大地……

并且，我要写一首诗，

暂埋进这冰封雪覆的土地，

待明天，春满人间，

我坚信，它会萌生，

迎着阳光，

长出绿油油、绿油油的

美丽的叶子……

二

敬爱的周总理，

我无法到医院去瞻仰你，

只好攥一张冰冷的报纸，

静静地

伫立在长安街的暮色里。

任一月的风，

撩起我的头发；

任昏黄的路灯，

照着冰冷的泪滴。

等待着，等待着，

载着你的遗体的灵车，

碾过我们的心；

等待着，等待着，

把一个前线战士的崇敬，

献给你。

啊，汽车，扎起白花，

人们，黑纱缠臂。

广场——如此肃穆，

长街——如此沉寂。

残阳如血呀，

映着天安门前——

低垂的冬云，

半落的红旗……

车队像一条河，

缓缓地流在深冬的风里……

为什么有人，

不许我们缅怀你伟大的一生；

为什么有人，

不许我们赞颂你不朽的业绩；

但此刻，

长街肃穆，万民伫立，

一颗心——一片翻腾的大海，

一双眼——一道冲决的大堤。

多少人喊着你，

扑向灵车；

多少人跑向你，

献上花束和敬礼；

多少人想牵动你的衣襟，

把你唤醒；

多少人想和你攀谈

知心的话题……

车队像一条河，

缓缓地流在深冬的风里……

历史呵，请记着——

一九七六年一月十一日，

在中国，在北京，

一辆车，

碾过一个峥嵘的世纪。

车上——躺着一个

中国共产党的优秀党员，

车上——躺着一个

伟大的无产阶级革命家；

车上——躺着一个

真正的生命，

车上——躺着一个

人民骄傲的儿子。

—— 一个为八亿人，

耗尽了最后一丝精力的

伟大的英雄；

—— 一个为三十亿人，

倾尽了最后一滴心血的

伟大的战士！

敬爱的周总理，

你就这样

从你熟悉的长安街从容走过，

像生前，从不愿惊动我们，

轻轻地从我们身边走去……

车队像一条河，

缓缓地流在深冬的风里……

啊，祖国——

茫茫暮霭中，

沉沉烟云里：

多少个家庭的

多少面窗子，

此刻，都一齐打开，

只为要献给你这由衷的敬意。

大寨人，肃立在梯田上，

瞩望你；

大庆人，攀登在井架上，

呼唤你；

千万名战士持枪站在哨位上，

悼念你。

这就是我们的丧仪呵：

主会场——

九百六十万平方公里的祖国，

分会场——

五大洲南北东西；

云水间，满眼翻飞的挽幛，

风雷中，满耳坚定的誓语。

江水沉凝，青山肃立，

万木俯首，星月不移……

看，这是何等

庄严、肃穆、伟大的

葬礼！

车队像一条河，

缓缓地流在深冬的风里……

总理，敬爱的周总理，

泪眼，看不清你的遗容，

却只见你胸前

没有绶带，没有勋章，

只有一枚

你长年佩戴的像章，

像你一颗火热的心，

跳动，跳动，

永不停息。

——那是"为人民服务"

五个金灿灿的大字，

辉映着你心头那

闪光的镰刀和铁锤；

辉映着你身上那

穿过无数次急风暴雨的红旗；

辉映着你头上那

一轮光芒四射的太阳，

照彻五洲，

照彻天宇……

三

啊，此刻，灵车，

正经过十里长街，

向西，向西……

这是一副

永不休息的大脑啊，

这是一腔

熊熊燃烧的血液。

敬爱的周总理，

你在想些什么呢——

是十年前、二十年前的斗争，

还是明天，或者下一个世纪……

啊，我们多么不愿告诉你，

几年来，我们无时不在

挂念你健康的消息。

亲友相逢，家人团聚，

总是怀着感激的深情谈起你。

报纸上，看见你

又一次接见外宾，

像听见你朗朗的言谈

回响在医院四壁；

看见你精神更加焕发，

我们是多么欢喜；

但，你的面容又清瘦了，

唉，比上一次……

却又像石头，压在心底！

啊，此刻，灵车，

正经过十里长街，

向西，向西……

那不是你吗？

敬爱的周总理，

人民大会堂，

正传出你爽朗的笑声，

天安门前，

又走过你矫健的步履，

你刚听完

一个工地会战的汇报，

又问起灾区

每户人家的油盐柴米；

啊，国务院办公室的写字台上，

政府工作报告，

还等你起草；

啊，外出视察的列车上，

新年度的预算，

还待你审批……

那不是你吗？

敬爱的周总理，

时间，已过午夜，

街头，灯火疏稀——

你关怀着祖国，关怀着世界，

从又一个五年建设计划的

宏伟蓝图，

到文件上每一个

小小的标点；

从联合国大会上

我国代表的发言，

到北京舞台上

一句台词，一支歌曲……

即使在生命的最后一息，

你仍在倾听毛主席的诗句……

啊，此刻，灵车，

正经过十里长街，

向西，向西……

那不是你吗？

敬爱的周总理，

今天，又和毛主席一起，

来到我们喧腾的工地。

你开襟解怀，拉车挽绳，

采石运土，激情难抑。

每寸大坝，

都印下你的脚印，

每滴湖水，

都映出你的英姿……

为人民，

你洒的是汗，泼的是血，

捧的是心，拼的是力！

是啊，在我们一穷二白的祖国，

哪里没留下你

永难忘怀的深切的记忆！

想起你吃的粗茶淡饭，

望着你身穿补缀的衬衣，

啊！磊落，纯朴，清贫，正直——

对我们是多么深刻的教育和激励！

你是总理，

又是公仆；

你是普通的工人、普通的农民，

又是普通的战士！

啊，此刻，灵车，

正经过十里长街，

向西，向西……

难忘啊，

惊心动魄的"文化大革命"，

你和我们一起并肩奋斗，

耐心地劝解两派分歧，

你和我们一起总结经验，

又和我们一起欢呼胜利。

啊，战友们告诉我，你昨夜

又是只睡了三个小时，

但却怎能阻止磅礴的活力——

看，翻飞如海的红旗间，

你又站在台阶上

挥动双臂，

指挥我们：

唱《东方红》，

唱《国际歌》，

唱《三大纪律八项注意》……

啊，此刻，灵车，

正经过十里长街，

向西，向西……

怎能忘——

迷雾紧锁的重庆，

你深入虎穴，泰然自若；

怎能忘——

风斜雪猛的莫斯科，

你昂首挺立，迎击强敌……

谁也数不清，

你在敌特的枪口下，

曾几度出生入死；

谁也说不尽，

你在密探的跟踪下，

曾怎样临危不惧！

你炯炯的目光，

凌厉而坚定；

你浓俊的眉毛，

高扬着必胜的信念、斗争的勇气。

对人民，你比炭火更温暖，

对敌人，你比钢刀更锋利！

浩浩忠魂呵，铮铮硬骨，

纯洁的品格呵，不屈的意志！

今天，即使你闭上眼睛，

也仍使敌人胆战心悸！

啊，此刻，灵车，

正经过十里长街，

向西，向西……

不，现在你只是——

刚风尘仆仆地走下飞机，

还未来得及拍掉

北非的尘沙，南亚的云雨，

便又赶来迎接一位

非洲兄弟。

看，那不是你吗？

站在敞篷汽车上，

正挥手向我们致意。

啊，风凉了，警卫员同志，

请为我们敬爱的总理，

披上件大衣……

啊，此刻，灵车，

正经过十里长街，

向西，向西……

敬爱的周总理呀，

登庐山峰顶，

看烟雨流云，

临北戴河滨，

听大海潮汐。

啊，日月不灭，苍穹不老，

山河不死，生命不已……

你把心脏的每次跳动，

都献给了人民；

你踏出的每一个足迹，

都紧紧跟随毛主席。

你不许我们为你写一篇传记，

你的生命却写进党史的每一页里；

你不许我们为你谱一首颂歌，

对你的传颂却响彻寰宇，

你没有一个亲生儿女，

全国人民却都是你的儿女；

你不要陵墓，没有碑文，

你的名字却镌刻在亿万人心里。

对人民啊，你不求——

半点享受，丝毫报偿，

对革命啊，你只知——

鞠躬尽瘁，死而后已！

因此，你——大智大勇！

因此，你——无私无敌！

你就是这样——

忠于党，

忠于人民；

忠于祖国，

忠于阶级；

忠于毛泽东思想，

忠于马克思列宁主义……

对你如此

伟大、光辉、战斗的一生：

珠峰——显得太轻！

五洲——显得太小！

星月——显得太暗！

九天——显得太低！

如果谁不了解群众和总理

该是怎样的关系，

就来看看我们的人民和你，

是多么亲密！

啊，此刻，灵车，

正经过十里长街，

向西，向西……

车轮啊，莫再转动，

马达啊，快快停息！

敬爱的周总理，

难道你真的再不能

回到我们中间？

假如可能，

哪怕只要一次，

我们就再不让你

做任何工作，

只要你和我们永在一起——

看我们上补青天，下填沧海，

和我们一起生活，一起呼吸。

这就是我们——

最大的安慰，

最大的幸福，

最大的快乐和欢喜！

四

我的敬爱的党啊，

我的亲爱的祖国，

他是多么舍不得离开你，

他最后叮嘱我们，

把他的骨灰，他的鲜血，

撒向江河，

——曾哺育他的江河；

撒向大地，

——曾生长他的大地。

啊，千山万水，

长埋多少祖先的骸骨；

啊，万水千山，

洒过多少先烈的血滴！

而今——

古老的波涛呵，

你奔腾了千年万载，

今天，奔流得更急，

你负载着一个伟大的灵魂，

快走遍祖国各地：

好去滋润每棵禾苗，

好去加速每架轮机！

古老的山岳啊，

你屹立了万代千秋，

今天，仿佛更高了，

你紧倚着一个伟大的生命，

快筑起铜墙铁壁：

好保卫大地，长出五谷，

好保卫田野，无限生机！

骄傲吧——

黄河飞涛，长城漠野，

江南水国，中原大地……

山山，因你而脉搏欢跳，

水水，因你而洪波涌起。

敬爱的周总理，

你的生命就是这样

和我们，

和我们的祖国、我们的阶级，

和我们大地的一草一木、一山一石，

紧紧地，紧紧地，

紧紧地连在一起……

感谢你——

马克思列宁主义，

培育出这样无畏的英雄，

感谢你——

战无不胜的毛泽东思想，

武装了这样伟大的战士。

但是，怎能设想，

竟有人妄图将你的名字，

从我们心中抹去，

从我们历史的心中抹去；

从我们的生命中抹去，

从我们阶级的生命中抹去。

哈！这是何等可卑可笑！

何等的不自量力！

何等的枉费心机！

我要说：

真理呵——永生！

人民呵——无敌！

革命的步伐，怎会停驻！

战斗的生命，怎会止息！

我敢说：

即使在将来，

在无穷世纪以后的

随便哪一个世纪，

不管谁来考证我们的今天，

都会毫不迟疑地说：

二十世纪——中国，

站在最前面的，

是伟大领袖毛主席，

而站在他身边的便是：

你——敬爱的周总理！

你永远在我们

一月的哀思

向一九八〇年进军的行列里！
你永远在我们
向二〇〇〇年进军的行列里！
你永远在我们
向共产主义进军的行列里！

五

如今，我心头的半杆红旗
已降下了一年。
我们这小小的地球呵，
围绕着太阳
已整整转了一周。
看它沉沉地转动得
何等艰难，
因为我们失去了
你，
又失去了经过炮火千锤百炼的
朱德同志，
特别是，又失去了
我们伟大的领袖和导师
毛主席！
革命，该怎样继续起步？
历史，该怎样重新写起？
……呵，现在正是早春，

毛主席早为我们安排了

华国锋主席。

华主席没有辜负

毛主席的重托，

没有辜负人民的期冀。

听，哀乐方停，战歌扬起，

华主席为我们拉响战斗的汽笛。

扫阴云，驱冷雨，

八亿大军向敌人

发起了猛烈的反击——

这是何等凌厉的攻势！

这是何等伟大的战役！

好呵，"四人帮"被粉碎了，

这些阴谋家、野心家——

蚍蜉撼树，苍蝇碰壁：

那腐朽堕落的修正主义，

那野心勃勃的资产阶级……

啊！俱往矣！

那些历史上的小丑，

只不过像——

风扫落叶，浪卷残泥；

而，敬爱的周总理啊，

你——

一颗丹心，晶莹无比！

一副肝胆，光耀天地！

敬爱的周总理，

我从铁锤和镰刀的闪光中，

看见了你；

我从边防战士坚定的目光中，

看见了你；

我从奔腾不息的涛声中，

看见了你；

我从每扇窗口的晨曦中，

看见了你。

我责备我这支笨拙的笔，

在你面前是如此软弱无力，

但，我仍愿掘出

我一年前所写的小诗，

重新献给你。

看，我们伟大的党，

我们战斗的阶级，

我们八万万团结的人民啊，

正奋勇向前，所向无敌！

啊，前面——

火红的朝阳，正腾腾升起……

《光明日报》1977 年 1 月 7 日

　　　　　　　　　　　　　　　　　　　　诗歌卷

致橡树

舒　婷

我如果爱你——

绝不像攀援的凌霄花，

借你的高枝炫耀自己；

我如果爱你——

绝不学痴情的鸟儿，

为绿荫重复单调的歌曲；

也不止像泉源，

常年送来清凉的慰藉；

也不止像险峰，

增加你的高度，衬托你的威仪。

甚至日光，

甚至春雨。

不，这些都还不够！

我必须是你近旁的一株木棉，

作为树的形象和你站在一起。

根，紧握在地下；

叶，相触在云里。

每一阵风过，

我们都互相致意，

但没有人，

听懂我们的言语。

你有你的铜枝铁干，

像刀，像剑，也像戟；

我有我红硕的花朵，

像沉重的叹息，

又像英勇的火炬。

我们分担寒潮、风雷、霹雳；

我们共享雾霭、流岚、虹霓。

仿佛永远分离，

却又终身相依。

这才是伟大的爱情，

坚贞就在这里：

爱——

不仅爱你伟岸的身躯，

也爱你坚持的位置，

足下的土地。

《今天》1978年1期

回答

北　岛

卑鄙是卑鄙者的通行证，

高尚是高尚者的墓志铭，

看吧，在那镀金的天空中，

飘满了死者弯曲的倒影。

冰川纪过去了，

为什么到处都是冰凌？

好望角发现了，

为什么死海里千帆相竞？

我来到这个世界上，

只带着纸、绳索和身影，

为了在审判之前，

宣读那些被判决了的声音。

告诉你吧，世界

我——不——相——信！

纵使你脚下有一千名挑战者，

那就把我算作第一千零一名。

我不相信天是蓝的，

我不相信雷的回声，

我不相信梦是假的，

我不相信死无报应。

如果海洋注定要决堤，

就让所有的苦水都注入我心中，

如果陆地注定要上升，

就让人类重新选择生存的峰顶。

新的转机和闪闪星斗，

正在缀满没有遮拦的天空。

那是五千年的象形文字，

那是未来人们凝视的眼睛。

《今天》1978年1期

天空

芒 克

太阳升起来

天空血淋淋的

犹如一块盾牌

日子像囚徒一样被放逐

没有人来问我

没有人宽恕我

我始终暴露着

只是把耻辱

用唾沫盖住

天空，天空

把你的疾病

从共和国的土地上扫除干净

可是，希望变成了泪水

掉在地上

我们怎么能确保明天的人们不悲伤

我遥望着天空

我属于天空

天空呵

你提醒着

那向我走来的世界

为什么我在你面前走过

总会感到羞怯

好像我老了

我拄着棍子

过去的青春终于落在手中

我拄着棍子

天空

你要把我赶到哪里去

我为了你才这样力尽精疲

谁不想把生活编织成花篮

可是，美好被打扫得干干净净

我们这么年轻

你能否愉悦着我们的眼睛

带着你的温暖

带着你的爱

再用你的绿舟

将我远载

希望

请你不要走得太远

你在我身边

就足以把我欺骗

太阳升起来

天空——这血淋淋的盾牌

《今天》1978 年 1 期

光的赞歌

艾　青

一

每个人的一生

不论聪明还是愚蠢

不论幸福还是不幸

只要他一离开母体

就睁着眼睛追求光明

世界要是没有光

等于人没有眼睛

航海的没有罗盘

打枪的没有准星

不知道路边有毒蛇

不知道前面有陷阱

世界要是没有光

也就没有扬花飞絮的春天

也就没有百花争艳的夏天

也就没有金果满园的秋天

也就没有大雪纷飞的冬天

世界要是没有光

看不见奔腾不息的江河

看不见连绵千里的森林

看不见容易激动的大海

看不见像老人似的雪山

要是我们什么也看不见

我们对世界还有什么留恋

二

只是因为有了光

我们的大千世界

才显得绚丽多彩

人间也显得可爱

光给我们以智慧

光给我们以想象

光给我们以热情

光帮助我们创造出不朽的形象

那些殿堂多么雄伟

里面更是金碧辉煌

那些感人肺腑的诗篇

谁读了能不热泪盈眶

那些最高明的雕刻家

使冰冷的大理石有了体温

那些最出色的画家

描出了色神授与的眼睛

比风更轻的舞蹈

珍珠般圆润的歌声

火的热情、水晶的坚贞

艺术离开光就没有生命

山野的篝火是美的

港湾的灯塔是美的

夏夜的繁星是美的

庆祝胜利的焰火是美的

一切的美都和光在一起

三

这是多么奇妙的物质

没有重量而色如黄金

它可望而不可即

漫游世界而无体形

具有睿智而谦卑

它与美相依为命

诞生于撞击和摩擦

来源于燃烧和消亡的过程

来源于火、来源于电

来源于永远燃烧的太阳

太阳啊，我们最大的光源

它从亿万万里以外的高空

向我们居住的地方输送热量

使我们这里滋长了万物

万物都对它表示景仰

因为它是永不消失的光

真是不可捉摸的物质——

不是固体、不是液体、不是气体

来无踪、去无影、浩淼无边

从不喧嚣、随遇而安

有力量而不剑拔弩张

它是无声的威严

它是伟大的存在

它因富足而能慷慨

胸怀坦荡、性格开朗

只知放射、不求报偿

大公无私、照耀四方

四

但是有人害怕光

有人对光满怀仇恨

因为光所发出的针芒

刺痛了他们自私的眼睛

历史上的所有暴君

各个朝代的奸臣

一切贪得无厌的人

为了偷窃财富、垄断财富

千方百计想把光监禁

因为光能使人觉醒

凡是压迫人的人

都希望别人无能

无能到了不敢吭声

而把自己当作神明

凡是剥削人的人

都希望别人愚蠢

愚蠢到了不会计算

一加一等于几也闹不清

他们要的是奴隶

是会说话的工具

他们只要驯服的牲口

他们害怕有意志的人

他们想把火扑灭

在无边的黑暗里

在岩石所砌的城堡里

维持血腥的统治

他们占有权力的宝座

一手是勋章、一手是皮鞭

一边是金钱、一边是锁链

进行着可耻的政治交易

完了就举行妖魔的舞会

和血淋淋的人肉的欢宴

回顾人类的历史

曾经有多少年代

沉浸在苦难的深渊

黑暗凝固得像花岗岩

然而人间也有多少勇士

用头颅去撞开地狱的铁门

光荣属于奋不顾身的人

光荣属于前仆后继的人

暴风雨中的雷声特别响

乌云深处的闪电特别亮

只有通过漫长的黑夜

才能喷涌出火红的太阳

五

愚昧就是黑暗

智慧就是光明

人类是从愚昧中过来

那最先去盗取火的人

是最早出现的英雄

他不怕守火的鹫鹰

要啄掉他的眼睛

他也不怕天帝的愤怒

和轰击他的雷霆

把火盗出了天庭

于是光不再被垄断

从此光流传到人间

我们告别了刀耕火种

蒸汽机带来了工业革命

从核物理诞生了原子弹

如今像放鸽子似的放出了地球卫星……

光把我们带进了一个

光怪陆离的世界：

X光，照见了动物的内脏

激光，刺穿优质钢板

光学望远镜，追踪星际物质

电子计算机

把我们推到了二十一世纪

然而，比一切都更宝贵的

是我们自己的锐利的目光

是我们先哲的智慧之光

这种光洞察一切、预见一切

可以透过肉体的躯壳

看见人的灵魂

看见一切事物的底蕴

一切事物内在的规律

一切运动中的变化

一切变化中的运动

一切的成长和消亡

就连静静的喜马拉雅山

也在缓慢地继续上升

认识没有地平线

地平线只能存在于停止前进的地方

而认识却永无止境

人类在追踪客观世界中

留下了自己的脚印

实践是认识的阶梯

科学沿着实践前进

在前进的道路上

要砸开一层层的封锁

要挣断一条条的铁链

真理只能从实践中得以永生

六

光从不可估量的高空

俯视着人类历史的长河

我们从周口店到天安门

像滚滚的波涛在翻腾

不知穿过了多少的险滩和暗礁

我们乘坐的是永不沉的船

从天际投下的光始终照引着我们

我们从千万次的蒙蔽中觉醒

我们从千万种的愚弄中学得了聪明

统一中有矛盾、前进中有逆转

运动中有阻力、革命中有背叛

甚至光中也有暗

甚至暗中也有光

不少丑恶与无耻

隐藏在光的下面

毒蛇、老鼠、臭虫、蝎子、蜘蛛

和许多种类的粉蝶

她们都是孵化害虫的母亲

我们生活着随时都要警惕

看不见的敌人在窥伺着我们

然而我们的信念

像光一样坚强——

经过了多少浩劫之后

穿过了漫长的黑夜

人类的前途无限光明、永远光明

七

每一个人都是一个生命

人世银河星云中的一粒微尘

每一粒微尘都有自己的能量

无数的微尘汇集成一片光明

每一个人既是独立的

而又互相照耀

在互相照耀中不停地运转

和地球一同在太空中运转

我们在运转中燃烧

我们的生命就是燃烧

我们在自己的时代

应该像节日的焰火

带着欢呼射向高空

然后迸发出璀璨的光

即使我们是一支蜡烛

也应该"蜡炬成灰泪始干"

即使我们只是一根火柴

也要在关键时刻有一次闪耀

即使我们死后尸骨都腐烂了

也要变成磷火在荒野中燃烧

八

作为一个微不足道的人

天文学数字中的一粒微尘

即使生命像露水一样短暂

即使是恒河岸边的细沙

也能反映出比本身更大的光

我也曾经用嘶哑的喉咙歌唱

在不自由的岁月里我歌唱自由

我是被压迫的民族我歌唱解放

在这个茫茫的世界上

我曾经为被凌辱的人们歌唱

我曾经为受欺压的人们歌唱

我歌唱抗争，我歌唱革命

在黑夜把希望寄托给黎明

在胜利的欢欣中歌唱太阳

我是大火中的一点火星

趁生命之火没有熄灭

我投入火的队伍、光的队伍

把"一"和"无数"融合在一起

进行为真理而斗争

和在斗争中前进的人民一同前进

我永远歌颂光明

光明是属于人民的

未来是属于人民的

任何财富都是人民的

和光在一起前进

和光在一起胜利

胜利是属于人民的

和人民在一起所向无敌

九

我们的祖先是光荣的

他们为我们开辟了道路

沿途

留下了深深的足迹

每个足迹里都有血迹

现在我们正开始新的长征

这个长征不只是二万五千里的路程

我们要逾越的也不只是十万大山

我们要攀登的也不只是千里岷山

我们要夺取的也不只是金沙江、大渡河

我们要抢渡的是更多更险的流口

我们在攀登中将要遇到更大的风雪、更多的冰川……

但是光在召唤我们前进

光在鼓舞我们、激励我们

光给我们送来了新时代的黎明

我们的人民从四面八方高歌猛进

让信心和勇敢伴随着我们

武装我们的是最美好的理想

我们是和最先进的阶级在一起

我们的心胸燃烧着希望

我们前进的道路铺满阳光

让我们的每个日子

都像飞轮似的旋转起来

让我们的生命发出最大的能量

让我们像从地核里释放出来似的

极大地撑开光的翅膀

在无限广阔的宇宙中飞翔

让我们以最高的速度飞翔吧

让我们以大无畏的精神飞翔吧

让我们从今天出发飞向明天

让我们把每个日子都当作新的起点

或许有一天，总有一天

我们这个古老的民族

我们最勇敢的阶级

将接受光的邀请

去叩开那些紧闭的大门

访问我们所有的芳邻

让我们从地球出发

飞向太阳……

《人民文学》1979年1月

相信未来

食　指

当蜘蛛网无情地查封了我的炉台

当灰烬的余烟叹息着贫困的悲哀

我依然固执地铺平失望的灰烬

用美丽的雪花写下：相信未来

当我的紫葡萄化为深秋的露水

当我的鲜花依偎在别人的情怀

我依然固执地用凝霜的枯藤

在凄凉的大地上写下：相信未来

我要用手指那涌向天边的排浪

我要用手撑那托住太阳的大海

摇曳着曙光那支温暖漂亮的笔杆

用孩子的笔体写下：相信未来

我之所以坚定地相信未来

是我相信未来人们的眼睛

她有拨开历史风尘的睫毛

她有看透岁月篇章的瞳孔

不管人们对于我们腐烂的皮肉

那些迷途的惆怅、失败的苦痛

是寄予感动的热泪、深切的同情

还是给以轻蔑的微笑、辛辣的嘲讽

我坚信人们对于我们的脊骨

那无数次的探索、迷途、失败和成功

一定会给予热情、客观、公正的评定

是的，我焦急地等待着他们的评定

朋友，坚定地相信未来吧

相信不屈不挠的努力

相信战胜死亡的年轻

相信未来、热爱生命

《今天》1979年2期

纪念碑

江　河

我常常想

生活应该有一个支点

这支点

是一座纪念碑

天安门广场

在用混凝土筑成的坚固底座上

建筑起中华民族的尊严

纪念碑

历史博物馆和人民大会堂

像一台巨大的天平

一边

是历史，昨天的教训

另一边

是今天，是魄力和未来

纪念碑默默地站在那里

像胜利者那样站着

像经历过许多次失败的英雄

在沉思

整个民族的骨骼是他的结构

人民巨大的牺牲给了他生命

他从东方古老的黑暗中醒来

把不能忘记的一切都刻在身上

从此

他的眼睛关注着世界和革命

他的名字叫人民

我想

我就是纪念碑

我的身体里垒满了石头

中华民族的历史有多么沉重

我就有多少重量

中华民族有多少伤口

我就流出过多少血液

我就站在

昔日皇宫的对面

那金子一样的文明

有我的智慧，我的劳动

我的被掠夺的珠宝

以及太阳升起的时候

琉璃瓦下紫色的影子

——我苦难中的梦境

在这里

我无数次地被出卖

我的头颅被砍去

身上还留着锁链的痕迹

我就这样地被埋葬

生命在死亡中成为东方的秘密

但是

罪恶终究会被清算

罪行终将会被公开

当死亡不可避免的时候

流出的血液也不会凝固

当祖国的土地上只有呻吟

真理的声音才更响亮

既然希望不会灭绝

既然太阳每天从东方升起

真理就把诅咒没有完成的

留给了枪

革命把用血浸透的旗帜

留给风，留给自由的空气

那么

斗争就是我的主题

我把我的诗和我的生命

献给了纪念碑

《今天》1979 年 3 期

现代化和我们自己

张学梦

她是我的艳遇　一个华美的期许

她到来　把我的东方变成筑巢的工地

她摊开我魂牵梦绕的蓝图

却不动手　帮我拆迁垒砌

她是我的神往　但不接受我的皈依

她的眼神烁动着　怜悯和揶揄

"你的蜕变不彻底"

她发现我抱着传统的尾鳍

她是我的信仰　但不为我施洗

她对我的虔诚半信半疑

我承认　我已足够芜杂和尖刻

我案头　纷然杂陈着吊诡思维的工具

她是我的彼岸　却不是我的水手

她站在对岸　闪着胴体　挥动手臂

淡然瞅着我　泅渡搏击

她知道　我若即若离　同时逢迎引力和斥力

她是我的路径　但不承诺抵达

她知道　我是永远的胚芽和毛坯

在向现代性朝圣的队伍中

我与前导者并肩　也与殿后者同步同舆

她是我的启明和北斗　一个斑斓的希冀

最美好的那种可能性　经由理性主义的孕育

她是我七弦琴上　一根白炽的琴弦

我是她艰难叙事的晨歌小夜曲

《诗刊》1979年5月

不满

骆耕野

从任何一项成功，

都产生出某种东西，

使更伟大的斗争成为必要。

——惠特曼《大路之歌》

像鲜花憧憬着甘美的果实，

像煤核怀抱着燃烧的意愿；

我心中孕育着一个"可怕"的思想。

对现状我要大声地喊叫出：

——"我不满!"

谁说不满就是异端?

谁说不满就是背叛?

是涌浪，怎能容忍山涧的狭窄，

是雏鹰，岂肯安于卵壁的黑暗。

不满：激扬着对海洋的神往哟!

不满：苏生着对蓝天的渴念!

生命的创造多么痛楚而伟大哟，

请赐给母亲以满足的甘甜：

"不！还是祝福孩子尽快成长吧。"

婴儿问世已叩响了母亲不满的心弦。

呵，谁能说不满就是不爱？

呵，谁敢说不满就是抱怨？

哥伦布不满铅印的海图，

才发现了大洋的彼岸；

哥白尼不满神圣的《圣经》，

才揭开了宇宙的奇观；

开普勒不满"日心说"才去发展真理；

亚里士多德不满柏拉图才能"青出于蓝"。

呵，谁说不满是背弃拔类出萃的先人？

呵，谁说不满是亵渎德高望重的圣贤？

不满：茹毛饮血的人猿才去寻觅火种，

不满：胼手胝足的祖先才去摸索种田；

不满：雄丽的赵州桥才取代了简陋的木桥，

不满："精巧"的石斧才让位于青铜的冶炼；

不满：才产生了妙手回春的华佗，

不满：才造就了巧夺天工的鲁班。

呵，不满正是对变革的希冀，

呵，不满乃是那创造的发端。

我是电流，我不满江河的浪费，
你白白流逝的，乃是我生存的乳泉；
我是高炉，我不满地球的吝啬，
你深深藏匿的，正是我生命的火焰；
我是庄稼，我害怕自然"保姆"的任性，
变幻莫测的风雨使我忐忑不安；
我是市场，我向往琳琅满目的富有，
陈列单调的橱窗叫我满面羞惭；
我是年迈的城镇，我的服饰多么古旧，
请为我披上高速公路的飘带，
请为我戴上摩天大厦的皇冠；
我是拘谨的生活，陈腐的习俗多么恼人，
请不要过多地责难服装和跳舞，
请不要过多地干涉青年的爱恋；
我是低产的田地，我不满蹒跚的耕牛哟；
我是发紫的肩头，我不满拉船的绳纤；
我不满步枪，不满水车，不满帆船，
我不满泥泞，不满噪音，不满污染。

不满像舰队告别港湾的头一阵笛鸣哟，
不满像雄鸡向往黎明的第一声啼唤。

我是规划，锁在保险柜里多么窒闷，
我要走下蓝图，我要和新兴的工地团圆；

我是革新，躺在功劳簿上多么可耻，

我要摸索新路，我要攀登记录的峰巅；

我是政策，我不满踟蹰的"伯乐"，

为什么不立刻起用朝野的遗贤?!

我是创造，我不满夜郎自大，

快为我打开与世隔绝的门闩；

我抗议马拉松会议，以时间的名义，

你随意糟践的，乃是我生命的内涵；

我控诉宗教式的软禁，以真理的呼喊，

我是花，我要生长，要献蜜，

我要求助于实践园丁殷勤的刀剪。

啊，不满像胎儿在母腹里的阵阵躁动哟，

不满像母性的痛楚而伟大的分娩!

我不满官僚主义，

轻浮地荡尽了先烈的遗产；

我不满文化水平，

至今还托不起四化的航船；

我不满软弱的法制，

英雄碑前有民主的泪浸血染；

我不满大话和空想，

睡在海市蜃楼上描绘缥缈的明天；

我不满抱怨和牢骚，

躲在时代的堤岸上指责涌进的波澜……

呵，不满就是一个绝妙的议事日程，

不满就是一部崭新的行动提案；

不满已催生出伟大的战略转移哟！

不满已催挂起新长征的战斗风帆！

噢，河床在不满中伸直了脊梁，

石油在不满中涌出了海面；

科学在不满中冲破了禁区，

指标在不满中跨上了火箭；

思想在不满中睁开了慧眼，

真理在不满中延伸了路线；

贫穷在不满中紧追着富强哟，

现状在不满中疾速地登攀！

啊，不满像两个矛盾间过渡的桥梁哟，

不满像一粒细胞中产生的裂变；

不满便有所发明，有所创造，有所前进哟，

不满将通向繁荣，通向幸福，通向完善！

像鲜花憧憬着甘美的果实，

像煤核怀抱着燃烧的意愿；

我心中溢满了深挚的爱哟，

对现状我要大声地叫喊出：

——"我不满！"

《诗刊》1979年5月

小草在歌唱

——悼女共产党员张志新烈士

雷抒雁

一

风说：忘记她吧！

我已用尘土，

把罪恶埋葬！

雨说：忘记她吧！

我已用泪水，

把耻辱洗光！

是的，多少年了，

谁还记得

这里曾是刑场？

行人的脚步，来来往往，

谁还想起，

他们的脚踩在

一个女儿、

一个母亲、

一个为光明献身的战士的心上？

只有小草不会忘记。

因为那殷红的血，

已经渗进土壤；

因为那殷红的血，

已经在花朵里放出清香！

只有小草在歌唱。

在没有星光的夜里，

唱得那样凄凉；

在烈日暴晒的正午，

唱得那样悲壮！

像要砸碎礁石的潮水，

像要冲决堤岸的大江……

二

正是需要光明的暗夜，

阴风却吹灭了星光；

正是需要呐喊的荒野，

真理的嘴却被封上！

黎明。一声枪响，

在祖国遥远的东方，

溅起一片血红的霞光！

呵，年老的妈妈，

四十多年的心血，

就这样被残暴地泼在地上；

呵，幼小的孩子，

这样小小年纪，

心灵上就刻下了

终生难以愈合的创伤！

我恨我自己，

竟睡得那样死，

像喝过魔鬼的迷魂汤，

让辚辚囚车，

碾过我僵死的心脏！

我是军人，

却不能挺身而出，

像黄继光，

用胸脯筑起一道铜墙！

而让这颗罪恶的子弹，

射穿祖国的希望，

打进人民的胸膛！

我惭愧我自己，

我是共产党员，

却不如小草，

让她的血流进脉管，

日里夜里，不停歌唱……

三

虽然不是

面对勾子军的大胡子连长，

她却像刘胡兰一样坚强；

虽然不是

在渣滓洞的魔窟，

她却像江竹筠一样悲壮！

这是二十世纪，七十年代，

社会主义中国特殊的土壤里，

成长起的英雄

——丹娘！

她是夜明珠，

暗夜里，

放射出灿烂的光芒；

死，消灭不了她，

她是太阳，

离开了地平线，

却闪耀在天上！

我们有八亿人民，

我们有三千万党员，

七尺汉子，

伟岸得像松林一样，

可是，当风暴袭来的时候，

却是她，冲在前边，

挺起柔嫩的肩膀，

肩起民族大厦的栋梁！

我曾满足于——

月初，把党费准时交到小组长的手上；

我曾满足于——

党日，在小组会上滔滔不绝地汇报思想！

我曾苦恼，

我曾惆怅，

专制下，吓破过胆子，

风暴里，迷失过方向！

如丝如缕的小草哟，

你在骄傲地歌唱，

感谢你用鞭子

抽在我的心上，

让我清醒，

让我清醒，

昏睡的生活，

比死更可悲，

愚昧的日子，

比猪更肮脏!

四

就这样——
黎明。一声枪响，
她倒下去了，
倒在生她养她的祖国大地上。

她的琴呢？
那把她奏出过欢乐，
奏出过爱情的琴呢？
莫非就此成了绝响？
她的笔呢？
那支写过檄文，
写过诗歌的笔呢？
战士，不能没有刀枪！

我敢说：她不想死！
她有母亲：风烛残年，
受不了这多悲伤！
她有孩子：花蕾刚绽，
怎能落上寒霜！
她是战士，
敌人如此猖狂，

怎能把眼合上！

我敢说：她没有想到会死。
不是有宪法么？
民主，有明文规定的保障；
不是有党章么，
共产党员应多想一想。
就像小溪流出山涧，
就像种子钻出地面，
发现真理，坚持真理，
本来就该这样！

可是，她却被枪杀了，
倒在生她养她的母亲身旁……

法律呵，
怎么变得这样苍白，
苍白得像废纸一方；
正义呵，
怎么变得这样软弱，
软弱得无处伸张！
只有小草变得坚强，
托着她的身躯，
托着她的枪伤，
把白的、红的花朵，

插在她的胸前，

日里夜里，风中雨中，

为她歌唱……

五

这些人面豺狼，

愚蠢而又疯狂！

他们以为镇压，

就会使宝座稳当；

他们以为屠杀，

就能扑灭反抗！

岂不知烈士的血是火种，

播出去，

能够燃起四野火光！

我敢说：

如果正义得不到伸张，

红日，

就不会再升起在东方！

我敢说，

如果罪行得不到清算，

地球，

也会失去分量！

残暴，注定了灭亡，

注定了"四人帮"的下场！

你看，从草地上走过来的是谁？

油黑的短发，

披着霞光；

大大的眼睛，

像星星一样明亮；

甜甜的笑，

谁看见都会永生印在心上！

母亲呵，你的女儿回来了，

她是水，钢刀砍不伤；

孩子呵，你的妈妈回来了，

她是光，黑暗难遮挡！

死亡，不属于她，

千秋万代，

人们都会把她当作榜样！

去拥抱她吧，

她是大地女儿，

太阳，

给了她光芒；

山岗，

给了她坚强；

花草，

给了她芳香！

跟她在一起，

就会看到希望和力量……

6月7日夜不成寐

6月8日急就于曙光中

《诗刊》1979年8月

秋

杜运燮

连鸽哨都发出成熟的音调，

过去了，那阵雨喧闹的夏季。

不再想那严峻的闷热的考验，

危险游泳中的细节回忆。

经历过春天萌芽的破土，

幼芽成长中的扭曲和受伤，

这些枝条在烈日下也狂热过，

差点在雨夜中迷失方向。

现在，平易的天空没有浮云，

山川明净，视野格外宽远；

智慧、感情都成熟的季节啊，

河水也像是来自更深处的源泉。

紊乱的气流经过发酵，

在山谷里酿成透明的好酒；

吹来的是第几阵秋意？醉人的香味

已把秋花秋叶深深染透。

街树也用红颜色暗示点什么，

自行车的车轮闪射着朝气；

塔吊的长臂在高空指向远方，

秋阳在上面扫描丰收的信息。

1979 年秋

《诗刊》1980 年 1 期

一代人

顾　城

黑夜给了我黑色的眼睛

我却用它寻找光明

《星星》1980年3月号

富春江上

辛 笛

来的时候晚了，

富春已是一幅秋江，

夕阳下满山枫叶满江红。

好开阔的水面啊，

一洗城市的烦嚣自我心中；

雾气伴着暮霭冉冉升起，

辨不出远近西东；

原来虎踞在对岸的大山，

蓦然间扑人眉宇而来，

有的说是只大象，

有的说是只棕熊！

遥夜沉沉雾重，

两三渔火点破迷蒙，

咿呀的橹声人声，

随着船身人影起落寒空；

热腾腾的汗水

伴着熟练身手的从容，

换来了满网的鱼虾，

满船的喜悦，笑对残月如弓。

休论地老天荒，

人间自有英雄，

无心于钓台怀古，

总有一天机械化捕鱼，

不再是遥远的一场春梦！

《诗刊》1981 年 4 期

表达

柏　桦

我要表达一种情绪

一种白色的情绪

这情绪不会说话

你也不能感到它的存在

但它存在

来自另一个星球

只为了今天这个夜晚

才来到这个陌生的世界

它凄凉而美丽

拖着一条长长的影子

可就是找不到另一个可以交谈的影子

你如果说它像一块石头

冰冷而沉默

我就告诉你它是一朵花

这花的气味在夜空下潜行

只有当你死亡之时

才进入你意识的平原

音乐无法呈现这种情绪

舞蹈也不能抒发它的形体

你无法知道它的头发有多少

也不知道为什么要梳成这样的发式

你爱她，她不爱你

你的爱是从去年春天的傍晚开始的

为何不是今年冬日的黎明？

我要表达一种细胞运动的情绪

我要思考它们为什么反叛自己

给自己带来莫名的激动和怒气

我知道这种情绪很难表达

比如夜，为什么在这时降临？

我和她为什么在这时相爱？

你为什么在这时死去？

我知道鲜血的流淌是无声的

虽然悲壮

也无法融化这铺满钢铁的大地

水流动发出一种声音

树断裂发出一种声音

蛇缠住青蛙发出一种声音

这声音预示着什么？

是准备传达一种情绪呢？

还是表达一种内含的哲理？

还有那些哭声

这些不可言喻的哭声

中国的儿女在古城下哭泣过

基督忠实的儿女在耶路撒冷哭泣过

千千万万人在广岛死去了

日本人曾哭泣过

那些殉难者，那些怯懦者也哭泣过

可这一切都很难被理解

一种自己的情绪

一种无法表达的情绪

就在今夜已来到这个世界

在我们视觉之外

在我们中枢神经里

静静地笼罩着整个宇宙

它不会死，也不会离开我们

在我们心里延续着，延续着

不能平息，不能感知

因为我们不想死去

1981年10月

华南虎

牛　汉

在桂林

小小的动物园里

我见到一只老虎。

我挤在叽叽喳喳的人群中，

隔着两道铁栅栏

向笼里的老虎

张望了许久许久，

但一直没有瞧见

老虎斑斓的面孔

和火焰似的眼睛。

笼里的老虎

背对胆怯而绝望的观众，

安详地卧在一个角落，

有人用石块砸它

有人向它厉声呵斥

有人还苦苦劝诱

它都一概不理！

又长又粗的尾巴

悠悠地在拂动，

哦，

老虎，

笼中的老虎，

你是梦见了苍苍莽莽的山林吗？

是屈辱的心灵在抽搐吗？

还是想用尾巴鞭打那些可怜而可笑的观众？

你的健壮的腿

直挺挺地向四方伸开，

我看见你的每个趾爪

全都是破碎的，

凝结着浓浓的鲜血！

你的趾爪

是被人捆绑着

活活地铰掉的吗？

还是由于悲愤

你用同样破碎的牙齿

（听说你的牙齿是被钢锯锯掉的）

把它们和着热血咬掉……

我看见铁笼里

灰灰的水泥墙壁上

有一道一道的血淋淋的沟壑

像闪电那般耀眼刺目！

我终于明白……

我羞愧地离开了动物园，

恍惚之中听见一声

石破天惊的咆哮，

有一个不羁的灵魂

掠过我的头顶

腾空而去，

我看见了火焰似的斑纹

和火焰似的眼睛，

还有巨大而破碎的滴血的趾爪！

《诗刊》1982 年 2 月

小植物的歌唱

唐　湜

我躺在一片初夏的草地上，
听着金雀花悄悄地开放，
听着狗尾草唰唰地成长，
沉入了一片童话的小海洋；

像孩子们的诗人安徒生一样，
我喜爱飞鸟们的鼓翅飞翔，
叫幻想扑腾在高空的云朵上，
可我，更爱听小植物的歌唱：

在矛盾的世界上歌唱和谐，
在匆忙的世界上歌唱静夜，
像永远天真的孩子们那样，
不知道痛苦，也没有忧伤。

活着，尽情地呼吸空气、阳光，
死去，就化入那沉默的土壤。

《诗刊》1980年6月

中国，我的钥匙丢了

梁小斌

中国，我的钥匙丢了。

那是十多年前，

我沿着红色大街疯狂地奔跑，

我跑到了郊外的荒野上欢叫，

后来，

我的钥匙丢了。

心灵，苦难的心灵

不愿再流浪了，

我想回家

打开抽屉、翻一翻我儿童时代的画片，

还看一看那夹在书页里的

翠绿的三叶草。

而且，

我还想打开书橱，

取出一本《海涅歌谣》，

我要去约会，

我要向她举起这本书，

作为我向蓝天发出的

爱情的信号。

这一切，

这美好的一切都无法办到，

中国，我的钥匙丢了。

天，又开始下雨，

我的钥匙啊，

你躺在哪里？

我想风雨腐蚀了你，

你已经锈迹斑斑了；

不，我不那样认为，

我要顽强地寻找，

希望能把你重新找到。

太阳啊，

你看见了我的钥匙了吗？

愿你的光芒

为它热烈地照耀。

我在这广大的田野上行走,

我沿着心灵的足迹寻找,

那一切丢失了的,

我都在认真思考。

《诗刊》1980年10月

白芙蓉

屠 岸

一株白芙蓉，静静地站在石墙旁，
每次走过，我总要对她凝视。
她始终静静地站着，端庄而矜持，
过后，她送来一丝淡淡的清香。
这一回，我又从她的身边走过，
她的枝丫微微地倾斜向一方，
她神态依旧，只是添了点忧伤。
我久久地看着她，直到她面带羞涩。
我仔细审视：为什么她情绪异常？
一只花蜘蛛在结网，蛛丝把芙蓉枝
同傲慢、华贵的紫薇联结在一起。
我立刻动手了，扯断了纠缠的蛛丝。
她立即站正了，腼腆中仍带着端庄。
我告别。她送来一阵浓烈的香气。

《诗刊》1981年12月

乌篷船

杨　炼

忧郁的时辰，黄昏的河面上

浪涛狂奔，搅碎徐徐陨落的太阳

浑浊的水面一片白光，低沉的

吼叫，从脚下升起，从这条

柔软而凶险的道路上升起

泡沫和星星溅湿天空

黄昏的河面上

岩石和树丛投下巨大的阴影

一阵阵风抽搐着，无形的手指

拨动这古老的提琴

忧郁的时辰呵——大渡河

汹涌着，咆哮着，在我的灵魂里

一闪而过

大渡河——我日夜流浪着的辽阔世界啊

黑黝黝的夜，降落下来

沉重的，肮脏的

像我头上那顶补了又补的船篷

朽坏的舱板，月光浸透的

波浪间划动的桨，黑黝黝的

劳动者沉重的肩膀

像我浑身上下被太阳炙烤的皮肤

脸庞和浪花一样飘荡的头发

我在一个又一个黑色的漩涡中旋转

忧郁的时辰呵，大渡河

听着你的涛声，我就想起你那无数兄弟

此刻，同样的夜也披拂在他们肩头了吗

同样的呼唤也在招引他们归去吗

我想起许许多多注入你的小溪

那成千上万双走过胸中溪畔的赤裸而疲倦的脚

拖着长长的身影，长长的

在幽暗中流淌的成千上万声叹息

融汇着、弥漫着群山和大地

大渡河呵，你从苍茫的远方匆匆跑来

粗犷得像一位没有开化的山民，贫穷得

袒胸露臂——冲撞我，亲吻我

就是要诉说那些被遗忘的人们痛苦的故事吗

岸边闪烁的油灯哟，孩子们手中的油灯哟

你照耀过无数岁月浪头般起伏逝去

你照耀过多少从险恶深渊里挣扎归来的船只

你照耀过在沙滩上徒然盼望的儿女的眼泪

当我初次感受这生活激流的冲击

像那群光屁股的伙伴一样，眼睛

在惊涛里放出新鲜的光——我就结识了你

那时候，你在如今已经衰老的父亲手中

你在如今已经憔悴的母亲手中

这打着桨，摇着橹，变得舱板一样粗糙的手呵

你照耀过祖祖辈辈无穷无尽的劳动

大渡河，你永无休止地唱着无字悲歌的河流呵

你世世代代背诵着苦难传说的河流呵

除了你，谁能知道这些劳累得空洞的人们

也曾有过蓬蓬勃勃的青春？谁能知道

在这布满危险的礁石上，也曾生长过温柔碧绿的爱情

除了你，谁会懂得这一船船满载的树木、砂石

怎样填进船夫们一年年沉重的生命

而那节奏鲜明、像河流一样雄壮的号子

也并不是一首韵律优美的抒情诗

他们那草帽遮住的面孔，他们与风暴搏斗的性格

刻画着多少难以解脱的忧伤呵……

广阔的夜，凝滞在每双瞳孔中的夜

你看到那从遥远的年代起，就

和船夫一样劳累在田野上的人们了么

你看到那像航行过狭窄水道似的

穿过机器之间的人们了么

跌倒在草丛里的母亲们饥饿的目光是多么寒冷

应当轻轻抚摸书页，却拿起

粗大工具的少女的手指是多么可怜

八月的果园里，一株株小白杨树般的身躯弯向大地

一片片早晨的颜色，从汗流的脸颊上

剥落童年的梦想

与矿井下命运般乌黑的煤层埋在一起

广阔的夜，幽深的夜，沉重而肮脏的夜哟

你是世界头上那补了又补的船篷

压抑在每个劳动者心灵的上空

所有血液温暖着的臂膀都感受到它的重量

哦！痛苦——你是地球上最长的夜

划回去吧！划回去吧

沙滩上的孩子们在等待我

在这黑暗中

微弱的光明诱惑我

一双双渴望的眼睛

正朝浓密的夜色中张望

一群群寻找窝巢的发光的鸟儿

在寻找唯一属于自己的家

划回去吧！划回去吧

像从小学会的那样

靠上金黄柔软的岸

靠上太阳留下的一丝温热

也许，再用竹叶点燃一堆篝火

划回去吧——可是，我们的生活

将划到哪里？我们的痛苦

将划到哪里？哪里

是辛酸回忆抛锚的港湾

哪里是这无数纯朴生命的归宿

劳动……为了什么劳动

生活……为了什么生活

大渡河——我日夜流浪着的辽阔世界啊

你无休无止向我诉说的难道就是这些么

你在沉默的岁月中为我祈愿的难道就是这些么

我的心被粗粝的风无情地摩擦着

为什么这个世界是如此冷酷和不平

大渡河，你宽阔的怀抱里有多少孤独沉默的人们

有多少悲哀的白骨在不安地掀动着浪花

我看到无数劳累过一生的手依然在漩涡中挥舞

破碎的头颅中鱼儿像苦闷的歌声一样飘浮

我的兄弟们呵，你们被毁灭了，毁灭在

无声无息的夜里，不知不觉的夜里

像一条条乌篷船在洪峰下倾覆那样无力

你们被毁灭了，毁灭在

这个以带来春天的人们常常寒冷地死去的世界

给向往幸福的灵魂缠满斑驳锈迹的世界

毁灭在朝被毁者结冰的歌颂中

大渡河——还记得那个时候吗？那个

我用弹痕累累的身躯运送你全部生命和希望的时候

那个目送你的背影，我一口吸干

伤处鲜血的时候——燃烧在

我心头的许诺，燃烧的

被我至今仍旧痛苦的命运变得真正炽热的火焰

我再也不能忍耐——谁说我们不懂得生命的美好

月光下的灌木丛是多么迷人

谁说我们不懂得爱那些远方闪耀着的窗子

情人含着眼泪的眼睛，谁不知道

怎样在幽暗的山谷里寻找梅花鹿奔跑的小径

怎样像野丁香一样打扮自己

让露珠似的蜜蜂落满芬芳的心

谁不知道怎样饲养洁白的鸽子，在那仿佛透明的

羽毛上系满歌声——假如这一切都是真的

那么，就连我们不喜欢的死亡的拥抱

也会唤起沉静的微笑和梦……

但是，我再也不能忍耐——被黑暗

深深窒息的太阳呵

我再也不能忍耐这痛苦的浪涛继续折磨我的兄弟

在无声无息的夜里

在习惯了黑暗后迷惘的瞳孔里，我不知道

那儿有向往中的野花、山谷和天空

当孩子们细嫩的肩头被纤绳勒出鲜血

那些赞美是从哪里来的

当闪闪烁烁的灯光被狂风扑灭

归途上颠簸的父母靠什么温暖自己的眼睛

是的！我不知道，我不知道无数原野

无数山峰怎能让几千年的阴影永恒笼罩

像一次又一次往返起落的桨——我的希望

一次次坠入这寒冷的、喧嚣的波浪

是的，我不知道，我不愿知道

黑暗后面所发生的一切

可从那里伸出的手，却在毁灭我身边无数

对于每个人都同样珍贵的生命呵

我的被可怕而罪恶的河流吞没的兄弟

把你们白骨嶙峋的手，皮肉脱落的手递给我吧

把你们插进泥沙的手，不甘腐烂的手递给我吧

把你们从未捧起过自由和尊严的手递给我吧

以那从未严峻过的目光照射这亚洲的夜吧

再也不能忍耐了——我知道

只有这一双双痛苦的手紧握在一起

才能连接到黑暗大陆的边缘

只有这一对对黯淡的眼睛都变成黑黝黝的太阳

我的蔚蓝的开花的季节才会到来

划回去吧！划回去吧

从大渡河，从嘉陵江，从岷江和长江

每一个起着黑色波涛和夜晚的地方划回去吧

乌篷船

划向岸边闪烁的油灯，孩子们手中的油灯

所有期待温暖的晶莹的心

在船头打桨的母亲们哟

在船头摇橹的父亲们哟

我的灵魂哟——在这忧郁的时辰

和深沉的风一同激荡吧

波涛是无边的，天空是遥远的

我们留给世界和孩子们的——难道

依然是这艰难的命运和瘦小的乌篷船吗

《上海文学》1983年5月

美国妇女杂志

陆忆敏

从此窗望出去

你知道，应有尽有

无花的树下，你看看

那群生动的人

把发辫绕上右鬓的

把头发披覆脸颊的

目光板直的，或讥诮的女士

你认认那群人，一个一个

谁曾经是我

谁是我的一天，一个秋天的日子

谁是我的一个春天和几个春天

谁？曾经是我

我们不时地倒向尘埃或奔来奔去

挟着词典，翻到死亡这一页

我们剪贴这个词，刺绣这个字眼
拆开它的九个笔画又装上

人们看着这场忙碌
看了几个世纪了
他们夸我们干得好，勇敢、镇定
他们就这样描述

你认认那群人
谁曾经是我
我站在你跟前
已洗手不干

1984年

父亲和我

吕德安

父亲和我
我们并肩走着
秋雨稍歇
和前一阵雨
像是隔了多年时光

我们走在雨和雨的
间歇里
肩头清晰地靠在一起
却没有一句要说的话

我们刚从屋子里出来
所以没有一句要说的话
这是长久生活在一起
造成的
滴水的声音像折下的一条细枝条

像过冬的梅花

父亲的头发已经全白

但这近乎于一种灵魂

会使人不禁肃然起敬

依然是熟悉的街道

熟悉的人要举手致意

父亲和我都怀着难言的恩情

安详地走着

1984 年

有关大雁塔

韩 东

我们又能知道些什么

有很多人从远方赶来

为了爬上去

做一次英雄

也有的还来做第二次

或者更多

那些不得意的人们

那些发福的人们

统统爬上去

做一做英雄

然后下来

走进这条大街

转眼不见了

也有有种的往下跳

在台阶上开一朵红花

那就真的成了英雄

当代英雄

有关大雁塔

我们又能知道什么

我们爬上去

看看四周的风景

然后再下来

可是

大雁塔在想些什么

他在想，所有的好汉都在那年里死绝了

所有的好汉

杀人如麻

抱起大坛子来饮酒

一晚上能睡十个女人

他们那辈子要压坏多少匹好马

最后，他们到他这里来

放下屠刀，立地成佛了

而如今到这里来的人

他一个也不认识

他想，这些猥琐的人们

是不会懂得那种光荣的

《他们》1985 年 1 期

一代

徐敬亚

第一粒雪就掩埋了冬天

皮鞋疯了

无法找到你!

还没有来得及指点

手臂就消失了

我是慈善如火的人

我是无法预测的人

在我放声大笑前

被突然雕塑

奔向何方

春天，连铜都绿啦

树走进血管

让头发做我巨大的睫毛吧

以前额注视死亡

从火里走向水

多么令人诱惑呀

还没有来得及死

就诞生了

影子回到我的身体里来吧

太阳升起时

白纸上的字迹也无影无踪

我心柔似女

风，一阵哭一阵笑

大丈夫，多么富有魅力

第一朵花就掩埋了春天

苦难挽留我！

唯有你能够把我支撑

就在这里

钉下一颗钉子

我是无法再生无法死去的男人

《一代》1985年3月

镜中

张 枣

只要想起一生中后悔的事

梅花便落了下来

比如看她游泳到河的另一岸

比如登上一株松木梯子

危险的事固然美丽

不如看她骑马归来

面颊温暖

羞惭。低下头，回答着皇帝

一面镜子永远等候她

让她坐到镜中常坐的地方

望着窗外，只要想起一生中后悔的事

梅花便落满了南山

《日日新》1985年4期

慈航

昌　耀

1．爱与死

是的，在善恶的角力中

爱的繁衍与生殖

比死亡的戕残更古老、

更勇武百倍。

我，就是这样一部行动的情书

我不理解遗忘。

也不习惯麻木。

我不时展示状如兰花的五指

朝向空阔弹去——

触痛了的是回声。

然而，

只是为了再听一次失道者

败北的消息

我才拨弄这支

命题古老的琴曲？

在善恶的角力中

爱的繁衍与生殖

比死亡的戕残更古老、

更勇武百倍。

2. 记忆中的荒原

摘掉荆冠

他从荒原踏来，

重新领有自己的运命。

眺望旷野里

气象哨

雪白的柱顶

横卧着一支安详的箭镞。……

但是，

在那不朽的荒原——

不朽的

那在疏松的土丘之后竖起前肢

独对寂寞吹奏东风的旱獭

是他昨天的影子？

不朽的——

那在高空的游丝下面冲决气旋

带箭失落于昏冥的大雁、

那在闷热的刺棵丛里伸长

脖颈手持石器追食着蜥蜴

的万物之灵

是他昨天的影子？

在不朽的荒原。

在荒原不朽的暗夜。

在暗夜浮动的旋梯

在烦躁不安闪烁而过的红狐、

那惊犹未定倏忽隐遁的黄鼬、

那来去无踪的鸥鹈、

那旷野猫、

那鹿麂、

那磷光、

……可是他昨天的影子？

我不理解遗忘。

当我回首山关，

夕阳里覆满五色翎毛，

——是一座座惜春的花冢。

3. 彼岸

于是，他听到了。

听到土伯特人沉默的彼岸

大经轮在大慈大悲中转动叶片。

他听到破裂的木筏划出最后一声长泣。

当横扫一切的暴风

将灯塔沉入海底，

漩涡与贪婪达成默契，

彼方醒着的这一片良知

是他唯一的生之涯岸。

他在这里脱去垢辱的黑衣

留在埠头让时光漂洗，

把遍体流血的伤口

裸陈于女性吹拂的轻风。

是那个以手背遮羞的处女

解下抱襟的荷包，为他

献出护身的香草。……

在善恶的角力中

爱的繁衍与生殖

比死亡的戕残更古老、

更勇武百倍！

是的，

当那个老人临去天国之际

是这样召见了自己的爱女和家族

"听吧，你们当和睦共处，

慈航

他是你们的亲人、

你们的兄弟，

是我的朋友，和

——儿子!"

4. 众神

再生的微笑。

是劫余后的明月。

我把微笑的明月，

寄给那个年代

良知不灭的百姓。

寄给弃绝姓氏的部族。

寄给不留墓冢的属群。

那些占有马背的人，

那些敬畏鱼虫的人。

那些酷爱酒瓶的人。

那些围着篝火群舞的，

那些卵育了草原、把作牧歌的，

猛兽的征服者，

飞禽的施主，

炊烟的鉴赏家，

大自然宠幸的自由民，

是我追随的偶像。

——众神！众神！

众神当是你们！

5. 众神的宠偶

这微笑

是我缥缈的哈达

寄给天地交合的夹角

生命傲然的船桅。

寄给灵魂的保姆。

寄给你——

草原的小母亲。

此刻

星光客曲

又从寰宇

向我激发出

有如儿童肤体的乳香；

黎明的花枝

为我在欢快中张扬，

破译出那泥土绝密的哑语。

你哟，踮起赤裸的足尖

正把奶渣晾晒在高台。

靠近你肩头，

婴儿的内衣在门前的细丝

以旗帜的亢奋

解说万古的箴言。

墙壁贴满的牛粪饼块

是你手制的象形字模。

轻轻摘下这迷人的辞藻，

你回身交给归来的郎君，

托他送往灶坑去库藏。

（我看到你忽闪的睫毛

似同稷麦含笑之芒针；

我记得你冷凝的沉默曾

是电极触发之弧光。）

那个夜晚，正是他

向你贸然走去。

向着你贞洁的妙龄，

向着你梦求的摇篮，

向着你心甘的苦果……

带着不可更改的渴望或哀悼，

他比死亡更无畏——

他走向彼岸，

走向你

众神的宠偶！

6. 邂逅

他独坐裸原。

脚边，流星的碎片尚留有天火的热吻

背后，大自然虚构的河床——

鱼贝和海藻的精灵

从泥盆纪脱颖而出，

追戏于这日光幻变之水。

没有墓冢，

鹰的天空

交织着钻石多棱的射线，

直到那时，他才看到你从仙山驰来。

奔马的四蹄陡然在路边站定。

花蕊一齐摆动，为你

摇响了五月的铃铎。

——不悦么。旷野的郡主？

……但前方是否有村落？

他无须隐讳那些阴暗的故事、

那些镀金的骗局、那些……童话，

他会告诉你有过那疯狂的一瞬——

有过那春季里的严冬：

冷酷的纸帽，

癫醉的棍棒，

嗜血的猫狗

……

天下奇寒，雏鸟

在暗夜里敲不醒一扇

庇身的门窦。

他会告诉你：

为了光明再现的柯枝，

必然的妖风终将他和西天的羊群一同裹挟……

他会告诉你那个古老的山岬

原本是山神的祭坛，

秋气之中，间或可闻天鹅的呼唤，

雪原上偶尔留下

白唇鹿的请柬，

——那里原是一个好地方。

……

……

黄昏来了，

宁静而柔和。

土伯特女儿墨黑的葡萄在星光下思索

似乎向他表示：

——我懂。

我献与。

我笃行……

于是，那从上方凝视他的两汪清波

不再飞起迟疑的鸟翼。

7. 慈航

花园里面的花喜鹊

花园外面的孔雀

——本土情歌

于是，她惭然一笑，

从花径召回巡守的家犬，

将红绢拉过肩头，

向这不速之客暗示：

——那么，

把我的跌礜送给你呢

好不好？

把我的马驹送给你呢

好不好？

把我的帐幕送给你呢

好不好？

把我的香草送给你呢

好不好？

美呵——

黄昏里放射的银耳环，

人类良知的最古老的战利品！

是的，在善恶的角力中

爱的繁衍与生殖

比死亡的戕残更古老、

更勇武百倍！

8. 净土

雪线……

那最后的银峰超凡脱俗，

成为蓝天晶莹的岛屿，

归属寂寞的雪豹逡巡。

而在山麓，却是大地绿色的盆盂，

昆虫在那里扇动翅翼

梭织多彩的流风。

牧人走了，拆去帐幕，

将灶群寄存给疲惫了的牧场。

那粪火的青烟似乎还在召唤发酵罐中的
曲香，和兽皮褥垫下肢体的烘热。

在外人不易知晓的河谷，
已支起了牧人的夏宫，
土伯特人卷发的婴儿好似袋鼠
从母亲的袍襟探出头来，
诧异眼前刚刚组合的村落。

……一头花鹿冲向断崖，
扭作半个轻柔的金环，
瞬间随同落日消散。
而远方送来了男性的吆喝，
那吐自丹田的音韵，久久
随着疾去的蹄声在深山传递。

高山大谷里这些乐天的子民
护佑着那异方的来客，
以他们固有的旷达
决不屈就于那些强加的忧患
和令人气闷的荣辱。

这里是良知的净土。

9. 净土（之二）

……而在白昼的背后
是灿烂的群星。

升起了成人的诱梦曲。
筋骨完成了劳动的日课，
此刻不再做神圣的醉舞。
杵杆，和奶油搅拌桶
最后也熄灭了象牙的华彩。

沿着河边
无声的栅栏——
九十九头牦牛以精确的等距
缓步横贯茸茸的山阜，
如同一列游走的
堞堡。

灶膛还醒着。
火光撩逗下的肉体
无须在梦中羞闭自己的贝壳。
这些高度完美的艺术品
正像他们无羁的灵魂一样裸露
承受着夜的抚慰。

——生之留恋将永恒永恒……

但在墨绿的林莽，

下山虎栖止于断崖，

再也克制不了难熬的孤独，

飞身擦过刺藤。

寄生的群蝇

从虎背拖出了一道噼啪的火花

急忙又——

追寻它们的宿主……

10．沐礼

他是待娶的"新娘"了！

在这良宵

为了那个老人临终的嘱托，

为了爱的最后之媾和，

他倚立在红毡毯。

一个牧羊妇捧起熏沐的香炉

蹲伏在他的足边，

轻轻朝他吹去圣洁的

柏烟。

一切无情。

一切含情。

慧眼

正宁静地审度

他微妙的内心。

心旌摇荡。

窗隙里，徐徐飘过

三十多个祈福的除夕。……

烛台遥远了。

迎面而来——

他看到喜马拉雅丛林

燃起一团光明的瀑雨。

而在这虚照之中潜行

是万千条挽动经轮的纤绳……

他回答：

——"我理解。

我亦情愿。"

迎亲的使者

已将他搀上披红的征鞍，

一路穿越高山冰坂，和

激流的峡谷。

吉庆的火堆

也已为他在日出之前点燃。

在这处石砌的门楼他翻身下马

踏稳那一方

特为他投来的羊皮。

就从这坚实的舟楫，

怀着对一切偏见的憎恶

和对美与善的盟誓，

他毅然跃过了门前守护神狰厉的火舌。

……然后

才是豪饮的金盏。

是燃烧的水。

是花堂的酥油灯。

11．爱的史书

……

在不朽的荒原。

在荒原那个黎明的前夕，

有一头难产的母牛

独卧在冻土。

冷风萧萧，

只有一个路经这里的流浪汉

看到那求助的双眼

饱含了两颗痛楚的泪珠。

只有他理解这泪珠特定的象征。

——是时候了：

该出生的一定要出生！

该速朽的必定得速朽！

他在绳结上读着这个日子。

那里，有一双佩戴玉镯的手臂

将指掌抠进黑夜模拟的厚壁，

绞紧的辫发

搓探出蕴积的电火。

在那不见青灯的旷野，

一个婴儿降落了。

笑了的流浪汉

读着这个日子，潜行在不朽的

荒原。

——你呵，大漠的居士，笑了的

流浪汉，既然你是诸种元素的衍生物

既然你是基本粒子的聚合体，

面对物质变幻无涯的迷宫，

你似乎不应忧患，

也无须欣喜。

你或许
曾属于一只
卧在史前排卵的昆虫；
你或许曾属于一滴
熔在古鼎飨神的
浮脂。
设想你业已氧化的前生
织成了大礼服上的绶带；
期望你此生待朽的骨骸
可育作沙洲一株啸嗷的红柳。

你应无穷的古老，超乎时空之上；
你应无穷的年青，占有不尽的未来。
你属于这宏观整体中的既不可
多得、也不该减少的总和。

你是风雨雷电合乎逻辑的选择。
你只当再现在这特定时空相交的一点
但你毕竟是这星体赋予了感官的生物
是岁月有意孕成的琴键。

为了遗传基因尚未透露的丑恶，
为了生命耐力创纪录的拼搏，
你既是牺牲品，又是享有者，

慈航

你既是苦行僧，又是欢乐佛。

……

是的，在善恶的角力中
爱的繁衍与生殖
比死亡的戕残更古老、
更勇武百倍！

12. 极乐界

当春光
与孵卵器一同成熟，
草叶，也啄破了严冬的薄壳。
这准确的信息岂是愚人的谵妄？

万物本蕴含着无尽的奥秘：
地幔由运动而矗起山岳；
生命的晕环敢与日冕媲美；
原子的组合在微观中自成星系；
芳草把层层色彩托出泥土；
刺猬披一身锐利的箭镞……

当大道为花圈的行列开放绿灯，
另有一支仅存姓名的队伍在影子里欢呼着进行。

是时候了。

该复活的已复活。

该出生的已出生。

而他——

摘掉荆冠

从荒原踏来，

走向每一面帐幕。

他忘不了那雪山，那香炉，那孔雀翎。

他忘不了那孔雀翎上众多的眼睛。

他已属于那一片天空。

他已属于那一片热土。

他已属于那一个没有玉笏的侍臣。

而我，

展示状如兰花的五指

重又叩响虚空中的回声，

听一次失道者败北的消息，

也是同样地忘怀不了那一切。

是的，将永远、永远——

爱的繁衍与生殖

比死亡的戕残更古老、

更勇武百倍！

《西藏文学》1985年8月

中文系

李亚伟

中文系是一条撒满钓饵的大河

浅滩边，一个教授和一群讲师正在撒网

网住的鱼儿

上岸就当助教，然后

当屈原的秘书，当李白的随从

然后，再去撒网

有时，一个树桩般的老太婆

来到河埠头——鲁迅的洗手处

搅起些早已沉滞的肥皂泡

让孩子们吃下，一个老头

在讲桌上爆炒《野草》的时候

放些失效的味精

这些要吃透《野草》《花边》的人

把鲁迅存进银行，吃他的利息

当一个大诗人率领一伙小诗人在古代写诗

写王维写过的那块石头

一些蠢鲫鱼和一条傻白鲢

就可能在期末渔汛的尾声

挨一记考试的耳光飞跌出门外

老师说过要做伟人

就得吃伟人的剩饭背诵伟人的咳嗽

亚伟想做伟人

想和古代的伟人一起干

他每天咳着各种各样的声音从图书馆

回到寝室，就真的咳嗽不止

亚伟和朋友们读了庄子以后

就模仿白云到山顶徜徉

其中部分哥们儿

在周末啃了干面包之后还要去

啃《地狱》的第八层，直到睡觉

被盖里还感到地狱之火的熊熊

有时他们未睡着就摆动着身子

从思想的门户游进燃烧着的电影院

或别的不愿提及的去处

一年级的学生，那些

小金鱼小鲫鱼还不太到图书馆及

茶馆酒楼去吃细菌，常停泊在教室或

老乡的身边，有时在黑桃Q的桌下

快活地穿梭

诗人胡玉是个老油子

就是溜冰不太在行，于是

常常踏着自己的长发溜进

女生密集的场所，用腮

唱一首关于晚风吹了澎湖湾的歌

更多的时间是和亚伟

在酒馆里吐各种气泡

二十四岁的敖歌已经

二十四年都没写诗了

可他本身就是一首诗

常在五公尺外爱一个姑娘

节假日发半价电报

由于没有记住韩愈是中国人还是苏联人

敖歌悲壮地降了一级，他想外逃

但他害怕爬上香港的海滩会立即

被警察抓去，考古汉语

万夏每天起床后的问题是

继续吃饭还是永远

不再吃了

和女朋友卖完旧衣服后

脑袋常吱吱地发出喝酒的信号

他的水龙头身材里拍击着

黄河愤怒的波涛，拐弯处挂着

寻人启事和他的画夹

大伙儿的拜把兄弟小绵阳

花一个月读完半页书后去食堂

打饭也打炊哥

最后他却被蒋学模主编的那枚深水炸弹

击出浅水区

现在已不知饿死在哪个遥远的车站

中文系就是这么的

学生们白天朝拜古人和王力和黑板

晚上就朝拜银幕或很容易地

就到街上去凤求凰兮

中文系的姑娘一般只跟本系男孩厮混

来不及和外系娃儿说话

这显示了中文系自食其力的能力

亚伟在露水上爱过的那医专的桃金娘

被历史系的瘦猴赊去了很久

最后也还回来了，亚伟

是进攻医专的元勋

他拒绝谈判

医专的姑娘就有被全歼的可能

中文系

医专就有光荣地成为中文系的夫人学校的可能

诗人老杨老是打算

和刚认识的姑娘结婚，老是

以鲨鱼的面孔游上赌饭票的牌桌

这条恶棍与四个食堂的炊哥混得烂熟

却连写作课的老师至今还不认得

他曾精辟地认为大学

就是酒店就是医专就是知识

知识就是书本就是女人

女人就是考试

每个男人可要及格啦

中文系就这样流着

教授们在讲义上喃喃游动

学生们找到了关键的字

就在外面画上漩涡画上

教授们可能设置的陷阱

把教授们嘀嘀咕咕吐出的气泡

在林荫道上吹过期末

教授们也骑上自己的气泡

朝下漂像手执丈八蛇矛的

辫子将军在河上巡逻

河那边他说"之"河这边说"乎"

遇到情况教授警惕地问口令："者"

学生在暗处答道："也"

中文系也学外国文学

着重学鲍狄埃学高尔基，在晚上

厕所里奔出一神色慌张的讲师

他大声喊：同学们

快撤，里面有现代派

中文系在古战场上流过

在怀抱贞洁的教授和意境深远的

月亮下面流过

河岸上奔跑着烈女

那些石洞里坐满了忠于杜甫的寡妇

和三姨太，坐满了秀才进士们的小妾

中文系从马致远的古道旁流过

后来中文系以后置宾语的身份

曾被把字句两次提到了生活的前面

现在中文系在梦中流过，缓缓地

像亚伟撒在干土上的小便，它的波涛

随毕业时的被盖卷一叠叠地远去啦

《诗歌报》1986 年 10 月 21 日

女人（组诗）

翟永明

第一辑

——唯有我

在濒临破晓时听到了滴答声

预　感

穿黑裙的女人黄夜而来

她秘密的一瞥使我精疲力竭

我突然想起这个季节鱼都会死去

而每条路正在穿越飞鸟的痕迹

貌似尸体的山峦被黑暗拖曳

附近灌木的心跳隐约可闻

那些巨大的鸟从空中向我俯视

带着人类的眼神

在一种秘而不宣的野蛮空气中

冬天起伏着残酷的雄性意识

我一向有着不同寻常的平静

犹如盲者，因此我在白天看见黑夜

婴儿般直率，我的指纹

已没有更多的悲哀可提供

脚步正在变老的声音

梦显得若有所知，从自己的眼睛里

我看到了忘记开花的时辰

给黄昏施加压力

鲜苔含在口中，他们所恳求的意义

把微笑会心地折入怀中

夜晚似有似无地痉挛，像一声咳嗽

憋在喉咙，我已离开这个死洞

臆　想

太阳，我在怀疑，黑色风景与天鹅

被泡沫温满的躯体半开半闭

一个斜视之眼的注目使空气

变得晦涩，如此而已

梦在何处繁殖？出现灵魂预言者

首先，我是否正在消失？橡树是什么？

（本爻主吉，因此有星在脚下巡视）

但请问是怎样的目光吸收我

在那被废黜的，稠密的云墙后

月亮恰在此时升起它的处女光晕

我将怎样瞭望一朵蔷薇?

在它粉红色的眼睛里

我是一粒沙,在我之上和

在我之下,岁月正在屠杀

人类的秩序

一串发荧光的葡萄

一只广大无埂的沙漠之兽

一株匕首似的老树干

化为空荡荡的墙

整个宇宙充满我的眼睛

现在,我换另一个角度

心惊肉跳地倾听蟋蟀的抱怨声

空气中有青铜色牝马的咳嗽声

洪水般涌来黑蜘蛛

在骨色的不孕之地,最后的

一只手还在冷静地等待

瞬　间

站在这里,站着

与咯血的黄昏结为一体

并为我取回染成黑色的太阳

死亡一样耐心的是这块石头

出神，于是知道天空已远去

星星在最后的时刻撤退，直到

夜被遗弃，我变得沉默为止

所有的岁月劫持在一瞬间

在我脸上布置斗换星移

默默冷笑，承受鞭打似的

承受这片天空，比肉体更光滑

比金属更冰冷，唯有我

在濒临破晓时听到了滴答声

片刻之欢无可比拟，态度冷淡

像对空气怀有疑问，一度是露水

一度是夜，直到我对今晚置之不理

直到我变得沉默为止

站在这里，站着

面对这块冷漠的石头

于是在这瞬间，我痛楚地感受到

它那不为人知的神性

在另一个黑夜

我默然地成为它的赝品

荒　屋

那里有深紫色台阶

那里植物是红色的太阳鸟

那里石头长出人脸

我常常从那里走过

以各种紧张的姿态

我一向在黄昏时软弱

而那里荒屋闭紧眼睛

我站在此地观望

看着白昼痛苦的光从它身上流走

念念有词，而心忐忑

脚步绕着圈，从我大脑中走过

房顶射出传染性的无名悲痛

像一个名字高不可攀

像一件礼物孤芳自赏和一幅画

像一块散发着高贵品质的玻璃死气沉沉

那里一切有如谣言

那里有害热病的灯提供阴谋

那里后来被证明：无物可寻

我来了　我靠近　我侵入

怀着从不敞开的脾气

活得像一个灰瓮

它的傲慢日子仍然尘封不动

就像它是荒屋

我是我自己

渴　望

今晚所有的光只为你照亮

今晚你是一小块殖民地

久久停留，忧郁从你身体内

渗出，带着细腻的水滴

月亮像一团光洁芬芳的肉体

酣睡，发出诱人的气息

两个白昼夹着一个夜晚

在它们之间，你黑色眼圈

保持着欣喜

怎样的喧嚣堆积成我的身体

无法安慰，感到有某种物体将形成

梦中的墙壁发黑

使你看见三角形泛滥的影子

全身每个毛孔都张开

不可捉摸的意义

星星在夜空毫无人性地闪耀

而你的眼睛装满

来自远古的悲哀和快意

带着心满意足的创痛

你优美的注视中，有着恶魔的力量

使这一刻，成为无法抹掉的记忆

第二辑

——我目睹了世界

我创造黑夜使人类幸免于难

世　界

一世界的深奥面孔被风残留，一头白燧石

让时间燃烧成暧昧的幻影

太阳用独裁者的目光保持它愤怒的广度

并寻找我的头顶和脚底

虽然那已是很久以前的事。我在梦中目空一切

轻轻地走来，受孕于天空

在那里乌云孵化落日，我的眼眶盛满一个大海

从纵深的喉咙里长出白珊瑚

海浪拍打我

好像产婆在拍打我的脊背，就这样

世界闯进了我的身体

使我惊慌，使我迷惑，使我感到某种程度的狂喜

我仍然珍惜，怀着

那伟大的野兽的心情注视世界，沉思熟虑

我想：历史并不遥远

于是我听到了阵阵潮汐，带着古老的气息

从黄昏，呱呱坠地的世界性死亡之中

白羊星座仍在头顶闪烁

犹如人类的繁殖之门，母性贵重而可怕的光芒

在我诞生之前，我注定了

为那些原始的岩层种下黑色梦想的根。它们

靠我的血液生长

我目睹了世界

因此，我创造黑夜使人类幸免于难

母　亲

无力到达的地方太多了，脚在疼痛，母亲，你没有

教会我在贪婪的朝霞中染上古老的哀愁。我的心只像你

你是我的母亲，我甚至是你的血液在黎明流出的

血泊中使你惊讶地看到你自己，你使我醒来

听到这世界的声音，你让我生下来，你让我与不幸构成

这世界的可怕的双胞胎。多年来，我已记不得今夜的哭声

那使你受孕的光芒，来得多么遥远，多么可疑，站在生与死

之间，你的眼睛拥有黑暗而进入脚底的阴影何等沉重

在你怀抱之中，我曾露出谜底似的笑容，有谁知道
你让我以童贞方式领悟一切，但我却无动于衷

我把这世界当作处女，难道我对着你发出的
爽朗的笑声没有燃烧起足够的夏季吗？没有？

我被遗弃在世上，只身一人，太阳的光线悲哀地
笼罩着我，当你俯身世界时是否知道你遗落了什么？

岁月把我放在磨子里，让我亲眼看见自己被碾碎
呵，母亲，当我终于变得沉默，你是否为之欣喜

没有人知道我是怎样不着边际地爱你，这秘密
来自你的一部分，我的眼睛像两个伤口痛苦地望着你

活着为了活着，我自取灭亡，以对抗亘古已久的爱
一块石头被抛弃，直到像骨髓一样风干，这世界

有了孤儿，使一切祝福暴露无遗，然而谁最清楚
凡在母亲手上站过的人，终会因诞生而死去

夜　境

正值乌鸦活动的时候

——传说这样开头

她已走进城堡，渐渐感到害怕

那些夜晚树一直睡在水上

水很优雅，像月亮的名字

黑猫跑过去使光破碎

瘦骨嶙峋的拱门把手垂下

像夜之花

传说这样写道——

分明有雨，有幻觉

幽灵般顺着窗户活动

但她并不知晓

那些夜晚走廊藏匿起康乃馨花的影子

井壁并不结实，苔藓太老

她觉得一切很熟悉，但远不是梦境

传说继续写道——现在

她已站在镜子中，很惊讶

看见自己，也看见凉台上摊开的书

整个夜晚风很大

一棵楝子树对另一棵发出警告

她拎着裙子走上来，拿起书

没有开头，也没有结尾

但她觉得一切很熟悉，像读自己

故事刚刚开始

传说这样结束

——正值乌鸦活动的时候

　　　　憧　憬

我在何处显现？水里认不出

自己的脸，人们一个接一个走过去

夏天此起彼伏地坠落

仿照这无声无响的恐怖

我的爱人　我像露水般扩大我的感觉

所有的天空在冷笑

没有任何女人能逃脱

我已习惯在夜里学习月亮的微笑方式

在此地或者彼地，因为我是

受梦魇憧憬的土壤

我在何处形成？夕阳落下

敲打黑暗，我仍是痛苦的中心

影子在阳光下竖立起各种姿态

没有杀人者，也没有幸免者

这片天空把最初的肋骨

排列成星星的距离

我的爱人，难道我眼中的暴风雨

不能使你为我而流的血返回自身

创造奇迹？

我是这样小，这样依赖于你

但在某一天，我的尺度

将与天上的阴影重合，使你惊讶不已

噩　梦

你在这里躺着，策划一片沙漠

产卵似的发出笑声

某个人在秘密支配

向日葵方式的梦。心跳概不由己

闭上眼睛，创造顽固易碎的天气

海是唯一的，你的躯体是唯一的

像一个巨大的、被毁坏的器官

和那些活着被遗弃的沉默的脸

星星们漠然，像遥远的白眼瞳

一株仙人掌向天空公布

不能生殖的理由

你是？你不是第一个发现海市蜃楼的人

把黄昏升为黎明，让红色显然于目

永远是那只冰冷的手

海无动于衷，你的躯体无动于衷

在不同的地点向月亮仰起头

一脸死亡使岩石暴露在星星之下

夜在孤寂中把所有相同的时辰

镀成有形状的残垣

你整个是充满堕落颜色的梦

你在早上出现，使天空生了锈

使大地在你脚下卑微地转动

第三辑

——用人类的唯一手段

你使我沉默不语

独　白

我，一个狂想，充满深渊的魅力

偶然被你诞生。泥土和天空

二者合一，你把我叫作女人

并强化了我的身体

我是软得像水的白色羽毛体

你把我捧在手上，我就容纳这个世界

穿着肉体凡胎，在阳光下

我是如此炫目，使你难以置信

我是最温柔最懂事的女人

看穿一切却愿分担一切

渴望一个冬天，一个巨大的黑夜

以心为界，我想握住你的手
但在你的面前我的姿态就是一种惨败

当你走时，我的痛苦
要把我的心从口中呕出
用爱杀死你，这是谁的禁忌？
太阳为全世界升起！我只为了你
以最仇恨的柔情蜜意贯注你全身
从脚至顶，我有我的方式

一片呼救声，灵魂也能伸出手？
大海作为我的血液就能把我
高举到落日脚下，有谁记得我？
但我所记得的，绝不仅仅是一生

证　明

傍晚最后一道光刺伤我
躺在赤裸的土地上，躺着证明
有一天我的血液将与河流相混
怀着永不悲伤的心情，在我身下
夕阳晒红了狼藉的白垩石

当我双手交叉，黑暗就降临此地
即刻有梦，来败坏我的年龄
我茫然如不知所措的陷阱

如每个黄昏醉醺醺的凝视

我是夜的隐秘无法被证明

水使我变化，水在各处描绘

孤独的颜色，它无法使我固定

我是无止境的女人

我的眼神一度成为琥珀

深入内心，使它更加不可侵犯

忍受一种归宿，内心寂静的影子

整夜呈现在石头上，以证明

天空的寂静绝非人力

当我站起来，变成早晨的青火焰

照射，却使秋天更冷

女人呵，你们的甜蜜

在上月是一场灾难

在今天是宁静，树立起一小块黑暗

安慰自己

边　缘

傍晚六点钟，夕阳在你们

两腿之间燃烧

睁着精神病人的浊眼

你可以抗议，但我却饱尝

风的啜泣，一粒小沙并不起眼

注视着你们，它想说
鸟儿又在重复某个时刻的旋律

你们已走到星星的边缘
你们懂得沉默
两个名字的奇异领略了秋天
你们隐藏起脚步，使我
得不到安宁，蝙蝠在空中微笑
说着一种并非人类的语言

这个夜晚无法安排一个
更美好的姿态，你的头
靠在他的腿上，就像
水靠着自己的岩石
现在你们认为无限寂寞的时刻
将化为葡萄，该透明的时候透明
该破碎的时候破碎

瞎眼的池塘想望穿夜，月亮如同
猫眼，我不快乐也不悲哀
靠在已经死去的栅栏上注视你们
我想告诉你　没有人去拦阻黑夜
黑暗已进入这个边缘

女人(组诗)　　　　　　　　　　　　　　　　233

七　月

从此夏天被七月占据

从此忍耐成为信仰

从此我举起一个沉重的天空

把背朝向太阳

你是一个不被理解的季节

只有我在死亡的怀中发现隐秘

我微笑因为还有最后的黑夜

我笑是我留在世界上的权利

而今那只手还在我的头顶

是怎样的一只眼睛呵让我看见

一切方式现已不存

七月将是一次死亡

夏天是它最适合的季节

我生来是一只鸟，只死于天空

你是侵犯我栖身之地的阴影

用人类的唯一手段你使我沉默不语

我生来不曾有过如此绵绵的深情

如此温存，我是一滴渺小的泪珠

吞下太阳，为了结束自己才成熟

因此我的心无懈可击

难道我曾是留在自己心中的黑夜吗？

从落日的影子里我感受到

肉体隐藏在你的内部，自始至终

因此你是浇注在我身上的不幸

七月你裹着露珠和尘埃熟睡

但有谁知道你的骸骨以何等的重量

在黄昏时期待

秋　天

你抚摸了我

我早已忘记

在秋天，空气中有丰盛的血液

一只鸟和我同时旋转

正午的光突然倾泻

倒在我的怀抱

我没有别的天空像这样出其不意

仰面朝向一个太阳

或者发抖，想着柔软的片刻

树都默默无声，静静如吻

如无力的表情假装成柔顺

羊齿植物把绿色汁液喷射天空

二叶草的芬芳使我作呕

秋叶飘在脸颊上

一片已尝到甜蜜的叶子睥睨一切

现在才是另一只手出现的时候

像种种念头，最后有不可企及的疼痛

我微笑像一座废墟，被光穿透

炎热使我闭上眼睛等待再一次风暴

声音、皮肤、流言

每个人都有无法挽回的黑暗

它们就在你的手上

你抚摸了我

你早已忘记

《诗刊》1986年9月

尚义街六号

于　坚

尚义街六号

法国式的黄房子

老吴的裤子晾在二楼

喊一声　胯下就钻出戴眼镜的脑袋

隔壁的大厕所

天天清早排着长队

我们往往在黄昏光临

打开烟盒　打开嘴巴

打开灯

墙上钉着于坚的画

许多人不以为然

他们只认识梵高

老卡的衬衣　揉成一团抹布

我们用它拭手上的果汁

他在翻一本黄书

后来他恋爱了

常常双双来临

在这里吵架，在这里调情

有一天他们宣告分手

朋友们一阵轻松　很高兴

次日他又送来结婚的请柬

大家也衣冠楚楚　前去赴宴

桌上总是摊开朱小羊的手稿

那些字乱七八糟

这个杂种警察一样盯牢我们

面对那双红丝丝的眼睛

我们只好说得朦胧

像一首时髦的诗

李勃的拖鞋压着费嘉的皮鞋

他已经成名了　有一本蓝皮会员证

他常常躺在上边

告诉我们应当怎样穿鞋子

怎样小便　怎样洗短裤

怎样炒白菜　怎样睡觉　等等

八二年他从北京回来

外衣比过去深沉

他讲文坛内幕

口气像作协主席

茶水是老吴的　电表是老吴的

地板是老吴的　邻居是老吴的

媳妇是老吴的　胃舒平是老吴的

口痰烟头空气朋友　是老吴的

老吴的笔躲在抽桌里

很少露面

没有妓女的城市

童男子们老练地谈着女人

偶尔有裙子们进来

大家就扣好纽扣

那年纪我们都渴望钻进一条裙子

又不肯弯下腰去

于坚还没有成名

每回都被教训

在一张旧报纸上

他写下许多意味深长的笔名

有一人大家都很怕他

他在某某处工作

"他来是有用心的,

我们什么也不要讲!"

有些日子天气不好

生活中经常倒霉

我们就攻击费嘉的近作

称朱小羊为大师

后来这只手摸摸钱包

支支吾吾　闪烁其词

八张嘴马上笑嘻嘻地站起

那是智慧的年代

许多谈话如果录音

可以出一本名著

那是热闹的年代

许多脸都在这里出现

今天你去城里问问

他们都大名鼎鼎

外面下着小雨

我们来到街上

空荡荡的大厕所

他第一回独自使用

一些人结婚了

一些人成名了

一些人要到西部

老吴也要去西部

大家骂他硬充汉子

心中惶惶不安

吴文光　　你走了

今晚我去哪里混饭

恩恩怨怨　　吵吵嚷嚷

大家终于走散

剩下一片空地板

像一张空唱片　　再也不响

在别的地方

我们常常提到尚义街六号

说是很多年后的一天

孩子们要来参观

《诗刊》1986年11月

独身女人的卧室

伊　蕾

1. 镜子的魔术

你猜我认识的是谁

她是一个，又是许多个

在各个方向突然出现

又瞬间消隐

她目光直视

没有幸福的痕迹

她自言自语，没有声音

她肌肉健美，没有热气

她是立体，又是平面

她给你什么你也无法接受

她不能属于任何人

——她就是镜子中的我

整个世界除以二

剩下的一个单数

一个自由运动的独立的单子

一个具有创造力的精神实体

——她就是镜子中的我

我的木框镜子就在床头

它一天做一百次这样的魔术

你不来与我同居

2. 土耳其浴室

这小屋裸体的素描太多

一个男同胞偶然推门

高叫"土耳其浴室"

他不知道在夏天我紧锁房门

我是这浴室名副其实的顾客

顾影自怜——

四肢很长，身材窈窕

臀部紧凑，肩膀斜削

碗状的乳房轻轻颤动

每一块肌肉都充满激情

我是我自己的模特

我创造了艺术，艺术创造了我

床上堆满了画册

袜子和短裤在桌子上

玻璃瓶里迎春花枯萎了

地上乱开着暗淡的金黄

软垫和靠背四面都是

每个角落都可以安然入睡

你不来与我同居

3. 窗帘的秘密

白天我总是拉着窗帘

以便想象阳光下的罪恶

或者进入感情王国

心里空前安全

心里空前自由

然后幽灵一样的灵感纷纷出笼

我结交他们达到快感高潮

新生儿立即出世

智力空前良好

如果需要幸福我就拉上窗帘

痛苦立即变成享受

如果我想自杀我就拉上窗帘

生存欲望油然而生

拉上窗帘听一段交响曲

爱情就充满各个角落

你不来与我同居

4. 自画像

所有的照片都把我丑化

我在自画像上表达理想

我把十二种油彩合在一起

我给它起名叫P色

我最喜欢神秘的头发

蓬松的刘海像我侄女

整个脸部我只画了眉毛

敬祝我像眉毛一辈子长不大

眉毛真伟大充满了哲学

既不认为是，也不认为非

既不光荣，也不可耻

既不贞洁，也不淫秽

既不是生，也不是死

我把自画像挂在低矮的墙壁

每日朝见这唯一偶像

你不来与我同居

5. 小小聚会

小小餐桌铺一块彩色台布

迷离的灯光泻在模糊的头顶

喝一口红红的酒

我和几位老兄起来跳舞

像舞厅的少男少女一样

我们不微笑，沉默着

显得昏昏欲醉

独身女人的时间像一块猪排

你却不来分食

我在偷偷念一个咒语——

让我的高跟鞋跳掉后跟

噢！这个世界已不是我的

我好像出生了一个世纪

面容腐朽，脚上也长了皱纹

独身女人没有好名声

只是因为她不再年轻

你不来与我同居

6.　一封请柬

一封请柬使我如释重负

坐在藤椅上我若有所失

曾为了他那篇论文我同意约会

我们是知音，知音，只是知音

为什么他不问我点儿什么

每次他大谈现代派、黑色幽默

可他一点也不学以致用

他才思敏捷，卓有见识

可他毕竟是孩子

他温存多情，单纯可爱

他只能是孩子

他文雅庄重，彬彬有礼

他永远是孩子，是孩子

——我不能证明自己是女人

这一次婚礼是否具有转折意义

人是否可以自救或者互救

你不来与我同居

7. 星期日独唱

星期日没有人陪我去野游

公园最可怕，我不敢问津

我翻出现存的全体歌本

在土耳其浴室里流浪

从早饭后唱到黄昏

头发唱成1

眼睛唱成2

耳朵唱成3

鼻子唱成4

脸蛋唱成5

嘴巴唱成6

全身上下唱成7

表哥的名言万岁——

歌声是心灵的呻吟

音乐使痛苦可以忍受

孤独是伟大的

（我不要伟大）

疲乏的眼睛憩息在四壁

头发在屋顶下飞像黑色蝙蝠

你不来与我同居

8. 哲学讨论

我朗读唯物主义哲学——

物质第一

我不创造任何物质

这个世界谁需要我

我甚至不生孩子

不承担人类最基本的责任

在一堆破烂的稿纸旁

讨论艺术讨论哲学

第一，存在主义

第二，达达主义

第三，实证主义

第四，超现实主义

终于发现了人类的秘密

为活着而活着

活着有没有意义

什么是最高意义

我有无用之用

我的气息无所不在

我决心进行无意义结婚

你不来与我同居

9. 暴雨之夜

暴雨像男子汉给大地以鞭楚

躁动不安瞬间缓解为深刻的安宁

六种欲望掺和在一起

此刻我什么都要什么都不要

暴雨封锁了所有的道路

走投无路多么幸福

我放弃了一切苟且的计划

生命放任自流

暴雨使生物钟短暂停止

哦，暂停的快乐深奥无边

"请停留一下"①

我宁愿倒地而死

你不来与我同居

10. 象征之梦

我一人占有这四面墙壁

我变成了枯燥的长方形

我做了一个长方形的梦

---

① 《浮士德》中浮士德最后的话。

长方形的天空变成了狮子星座

一会儿头部闪闪发亮

一会儿尾部闪闪发亮

突然它变成一匹无缰的野马

向无边的宇宙飞驰而去

套马索无力地转了一圈垂落下来

宇宙漆黑没有道路

每一步都有如万丈深渊

自由的灵魂不知去向

也许她在某一天夭折

你不来与我同居

11. 生日蜡烛

生日蜡烛像一堆星星

方方的屋顶是闭锁的太阳系

空间无边无沿

宇宙无意中创造了人

我们的出生纯属偶然

生命应当珍惜还是应当挥霍

应当约束还是应当放任

上帝命令：生日快乐

所有举杯者共同大笑

迎接又临近一年的死亡

因为是全体人的恐惧

所以全体人都不恐惧

可惜青春比蜡烛还短

火焰就要熄灭

这是我一个人的痛苦

你不来与我同居

12. 女士香烟

我吸它是因为它细得可爱

点燃我做女人的欲望

我欣赏我吸烟的姿势

具有一种世界性美感

烟雾造成混沌的状态

寂寞变得很甜蜜

我把这张报纸翻了一翻

戒烟运动正在广泛开展

并且得到了广泛支持

支持的并不身体力行

不支持的更不为它做出牺牲

谁能比较出吸烟的功德与危害

戒烟和吸烟只好并行

各取所需

是谁制定了不可戒的戒律

高等人因此而更加神奇

低等人因此而成为罪犯

今夜我想无罪而犯

你不来与我同居

13. 想

我把剩余时间统统用来想

我赋予想一个形式：室内散步

我把体验过的加以深化

我把未得到的改为得到

我把发生过的加以进展

我把未曾有的化成幻觉

不能做的都想

怯于对你说的都想

法律踟蹰在地下

眼睁睁仰望着想

罗网和箭矢失去了目标

任凭想胡作非为

我想签证去理想的王国居住

我只担心那里已经人口泛滥

你不来与我同居

14. 绝望的希望

这繁华的城市如此空旷

小小的房子目标暴露

白天黑夜都有监护人

我独往独来，充满恐惧

我不可能健康无损

众多的目光如刺我鲜血淋漓

我祈祷上帝把那一半没有眼的椰子①

分给全体公民

道路已被无形的障碍封锁

我怀着绝望的希望夜夜等你

你来了会发生世界大战吗

你来了黄河会决口吗

你来了会有坏天气吗

你来了会影响收麦子吗

面对所恨的一切我无能为力

我最恨的是我自己

你不来与我同居

《人民文学》1987年1月

---

① 神话传说中鬼把一半没有眼的椰子分给活人，活人就看不到它。

玻璃工厂

欧阳江河

1

从看见到看见，中间只有玻璃。

从脸到脸

隔开是看不见的。

在玻璃中，物质并不透明。

整个玻璃工厂是一只巨大的眼珠，

劳动是其中最黑的部分，

它的白天在事物的核心闪耀。

事物坚持了最初的泪水，

就像鸟在一片纯光中坚持了阴影。

以黑暗方式收回光芒，然后奉献。

在到处都是玻璃的地方，

玻璃已经不是它自己，而是

一种精神。

就像到处都是空气，空气近于不存在。

2

工厂附近是大海。

对水的认识就是对玻璃的认识。

凝固，寒冷，易碎，

这些都是透明的代价。

透明是一种神秘的、能看见波浪的语言，

我在说出它的时候已经脱离了它，

脱离了杯子、茶几、穿衣镜，所有这些

具体的、成批生产的物质。

但我又置身于物质的包围之中，

生命被欲望充满。

语言溢出，枯竭，在透明之前。

语言就是飞翔，就是

以空旷对空旷，以闪电对闪电。

如此多的天空在飞鸟的躯体之外，

而一只孤鸟的影子

可以是光在海上的轻轻的擦痕。

有什么东西从玻璃上划过，比影子更轻，

比切口更深，比刀锋更难逾越。

裂缝是看不见的。

3

我来了，我看见了，我说出。

语言和时间浑浊，泥沙俱下。

一片盲目从中心散开。

同样的经验也发生在玻璃内部。

火焰的呼吸，火焰的心脏。

所谓玻璃就是水在火焰里改变态度，

就是两种精神相遇，

两次毁灭进入同一永生。

水经过火焰变成玻璃，

变成零度以下的冷峻的燃烧，

像一个真理或一种感情

浅显，清晰，拒绝流动。

在果实里，在大海深处，水从不流动。

4

那么这就是我看到的玻璃——

依旧是石头，但已不再坚固。

依旧是火焰，但已不复温暖。

依旧是水，但既不柔软也不流逝。

它是一些伤口但从不流血，

它是一种声音但从不经过寂静。

玻璃工厂

从失去到失去，这就是玻璃。

语言和时间透明，

付出高代价。

5

在同一工厂我看见三种玻璃：

物态的，装饰的，象征的。

人们告诉我玻璃的父亲是一些混乱的石头。

在石头的空虚里，死亡并非终结，

而是一种可改变的原始的事实。

石头粉碎，玻璃诞生。

这是真实的。但还有另一种真实

把我引入另一种境界：从高处到高处。

在那种真实里玻璃仅仅是水，是已经

或正在变硬的、有骨头的、泼不掉的水，

而火焰是彻骨的寒冷，

并且最美丽的也最容易破碎。

世间一切崇高的事物，以及

事物的眼泪。

《诗刊》1987年11月

三月与末日

根　子

三月是末日。

这个时辰

世袭的大地的妖冶的嫁娘

——春天，裹卷着滚烫的粉色的灰沙

第无数次地狡黠而来，躲闪着

没有声响，我

看见过足足十九个一模一样的春天

一样血腥假笑，一样的

都在三月来临。这一次

是她第二十次把大地——我仅有的同胞

从我的脚下轻易地掳去，想要

让我第二十次领略失败和嫉妒

而且恫吓我："原则

你飞吧，像云那样。"

我是人，没有翅膀，却

使春天第一次失败了。因为

这大地的婚宴，这一年一度的灾难

肯定的，会酷似过去的十九次

伴随着春天这娼妓的经期，它

将会在，二月以后

将在三月到来

她竟真的这个时候出现了

躲闪着，没有声响

心是一座古老的礁石，十九个

凶狠的夏天的熏灼，这

没有融化，没有龟裂，没有移动

不过礁石上

稚嫩的苔草，细腻的沙砾也被

十九场沸腾的大雨冲刷，烫死

礁石阴沉地裸露着，不见了

枯黄的透明的光泽、今天

暗褐色的心，像一块加热又冷却过

十九次的钢，安详、沉重

永远不再闪烁

既然

大地是由于辽阔才这样薄弱，既然他

是因为苍老才如此放浪形骸

既然他毫不吝惜

每次私奔后的绞刑，既然

他从不奋力锻造一个，大地应有的

朴素壮丽的灵魂

既然他，没有智慧

没有骄傲

更没有一颗

庄严的心

那么，我的十九次的陪葬，也却已被

春天用大地的肋骨搭架成的篝火

烧成了升腾的烟

我用我的无羽的翅膀——冷漠

飞离即将欢呼的大地，没有

第一次没有拼死抓住大地——

这漂向火海的木船、没有

想要拉回它

春天的浪做着鬼脸和笑脸

把船往夏天推去，我砍断了

一直拴在船上的我的心——

那钢和铁的锚，心

冷静地沉没，第一次

没有像被晒干的蘑菇那样怨缩

第一次没有为失宠而肿胀出血，也没有

挤拥出辛酸的泡沫，血沉思着

如同冬天的海，威武地流动，稍微

有些疲乏

作为大地的挚友，我曾经忠诚

我曾十九次地劝阻过他，他非常激动

"春天，温暖的三月——这意味着什么？"

我曾忠诚

"春天，这蛇毒的荡妇，她绚烂的裙裾下

哪一次，哪一次没有掩盖着夏天——

那残忍的姘夫，那携带大火的魔王？"

我曾忠诚

"春天，这冷酷的贩子，在把你倮依沉醉后

哪一次，哪一次没有放出那些绿色的强盗

放火将你烧成灰烬？"

我曾忠诚

"春天，这轻佻的叛徒，在你被夏日的燃烧

烤得垂死，哪一次，哪一次她用真诚的温存

扶救过你？她哪一次

在七月回到你身边？"

作为大地的挚友，我曾忠诚

我曾十九次地劝阻过他，非常激动

"春天，温暖的三月——这意味着什么？"

我蒙受牺牲的屈辱，但是

迟钝的人，是极认真的

锚链已经锈朽

心已经成熟，这不

第一次好像，第一次清醒的三月来到了

迟早，这样的春天，也要加到十九个，我还计划

乘以二，有机会的话，就乘以三

春天，将永远烤不熟我的心——

那石头的苹果

今天，三月，第二十个

春天放肆的口哨，刚忽东忽西地响起

我的脚，就已经感到，大地又在

固执地蠕动，他的河湖的眼睛

又混浊迷离，流淌着感激的泪

也猴急地摇曳

《开拓》1988年3期

秋天在一天天迫近尾声

林　莽

一

在我的窗外

听北风的低鸣

鸽群斜飞

秋天在一天天迫近尾声

曾使人不安的灵魂

犹如晚风的吹奏

忽起忽停

阵阵涌动渐渐平息

落叶纷飞

这也是最严峻的日子

二

不再是如血的残阳

不再是动乱的人流

北风以它的节律拂动时光流逝

许多误解已不必解释

如果那时我们确曾相约

秋天的火焰在树丛中燃烧

作为回答我应该呈献些什么

三

穿过静夜时光

洒水车的铃声急促地把我唤醒

突然远去的夕阳一片金黄

水雾中消散了青草的气息

那不属于你们的

同样也不再属于我

四

这一阵阵的清风

谁将伴我们踏叶归来

秋天在一天天迫近尾声

倾听灵魂中最寂静的时刻
一股股旋律在内心不停地撕扯

有时候
人们离去得比时间还要快

五

为了这些未完成的纪念
往日的喧嚣已经变得邈远
这样的时刻
想着夕阳下的秋天
等待收割的田野静谧、金黄
有如我书桌上深夜的灯光

六

那么高远
那么璀璨
永远无法遗忘
永远在心中战栗
当星群
一个个滑过我的心头
它们既遥远又冰冷

雪，落在心中不再消融

往事有许多时辰仍与我们同在

日月匆匆已走过许多年头

这已是最严峻的日子

秋天在一天天迫近尾声

《作家》1988年4期

黑豹

骆一禾

风中　我看到一副爪子　是

黑豹　长在土中

站在土里　一副爪子

摁着飞走的泥土　是树根　是

黑豹　泥土湿润

是最后一种触觉

是潜在乌木上的黑豹　是

一路平安的玄子

捆绑在暴力身上

是它的眼睛审视着晶莹的武器

邪恶的反光

将它暴露在中心地带

无数装备的目的在于黑豹

我们无辜的平安　没有根据

是黑豹

是泥土埋在黑豹的影子　然后影子

绕着影子

天空是一座苦役场

四个方向

里　我撞入雷霆

咽下真空　吞噬着真空

是真空里的煤矿

是凛冽　是背上插满寒光

是晒干的阳光　是晒透的阳光

是大地的复仇

像野兽一样动人　是黑豹

是我堆满粮食血泊的豹子内部

是我寂静的

肺腑

《诗刊》1988 年 11 月

黑豹

半个我正在疼痛

王小妮

有一只漂亮的小虫
情愿蛀我的牙。

世界
它的右侧骤然动人。
身体原来
只是一栋烂房子。

半个我里蹦跳出黑火。
半个我装满了药水声。

你伸出双手
一只抓到我
另一只抓到不透明的空气。
疼痛也是生命。
我们永远按不住它。

坐着再站着

让风这边那边都吹。

疼痛闪烁

才发现这世界并不平凡。

我们不健康

但是还想走来走去。

用不疼的半边

迷恋你。

用左手替你推着门。

世界的右部

灿烂明亮。

疼痛的长发

飘散成丛林。

那也是我

那是另外一个好女人。

花山文艺出版社2005年版

半个我正在疼痛

世的界

蓝 马

指船

指帆

指鸽

指海

与树林

与坟丛

与结合

既作为物质

而发光

闪光

又作为悸动

有东

有西

须知海也有东

船也有西

朝下看去

是在

下午

睡眠般

有梦般

闷热般

下面是

一个概念

既是光

又是丝线

既是闪烁

又是抖动

而结果

是大海

开着白花

又有帆

船

鸽子

海鸥

等

小标记

也就是

走动

飞翔

跳跃

就是躯壳

来不及

从自己里穿过

越过海

越过帆

越过鸽子

向海鸥

渔村啊

太神了

使头颅有力

使眼睁开

无口无耳

使这两叶这么一转

使漂浮

死者既不是死者

又不是活人

许多的梦

的组合体

在前面

是障碍物

又在跨越

透明啊

一个多么抽象的东西

模糊得

如此激烈

视觉

如此质感

梦的

真梦的

神明

也是一样

下一季开始

反光中出现泡沫

一群极亮点

突然在某几处

打开

不完全消失

不只是瞬间

长啊

这些这些

在强烈

同时在眯眼

看不见神明

看不见宁静

活

又是活

现在在这面

水与水一位一体

手与水二位一体

加上太阳

加上钻石和鸟

一份能闪的因素

又一位立体

主体

一片船

一片帆

一片鸽子

和一片白海鸥

在其上

多么充实

我分阳

我万亮

我焦耳

我是

焦耳乘以焦耳等于焦耳平方

而海水你是2-1=1

犹如你何曾是1+1=2

这就是疼痛

这就是秘密

这些是阳光

是海水

是茫茫和休息

船在劳动

鸽子在停

我的眼

和我的手啊

那些湖泊

在明镜

不完全　在你手里

不完全　在你眼里

不够充分

不够稳定

不完全睡意

最长的

没有地方看穿过

虽然是手

又是眼睛

用一只腿

去环顾另一只腿

每天的眺望

黑暗中思想

最深的　也许是环顾

最高的　也许是脊梁

最挪动的

是观察

似乎明了了

似乎明暗交替

就语言而言

时间是脚印

而头部

面部

手和胸前

等等

是项目

是内容

是指向和纵深

似乎不妥

是那山岗

假如雨再度扩大

谁来看啦

石头在石头上

水

在水上

向海鸥

帆　在帆上

而鸽子

在鸽子之上

谁来品尝这视野?

它的维护是光

它的裸露是样子

漂泊啊

谁还在双目失明

去适应

去怕

和

去脱离

全面的洞察

使角落交织

显得通

显得不行

谁肯让船劳动

让风成天介入呢

什么地方

含有大量的天空

它停留地

受阻地

高悬地

任凭一根垂线

既是蚕丝

又是木棉

又是身体

还向着海鸥

大量的洞穴

船晃动

又把消失

潜藏在阴处

它宽些

大些

意识到根部和泥土

唯恐是房间

唯恐是帷幕

太独立的黑色精英

别无二致的帆

船

鸽子

海鸥

等

就是走

走

盘根错节

又意味着

它想广泛

属于我的

我震撼不已

有关我的

我是寻找

沿着自己出窍

让我来坐在我的身边

微微地又守望在天际

还在那里

歇着

微微地

请亲切

沿着自己左移

让我来坐在我的左边

第一次开花

第一次结果

第一次沿着自己开裂

微微地

让我来与我

相逢

在身外

是微微的

在左边的和右边的

是微微的

天边的我还横着

在微微的之间

最基本的哭

没有声音

也就是走海鸥

走船

走水

走石头

我的帆

它在那里

我在这儿

也还是要

走船

走水

走鸽子

走花

和我

谁肯让自己图腾一番

谁肯让自己鱼

我太了一次

我收缩

反悔

聚集

然后我

分散了一次

弥漫进森林

穿过水

照耀在珊瑚丛

既不认为

脚下的这些岩石

是别人的

也不认为

身边的这些水

和树林

是自己的

但是谁肯让自己张

肯让自己滑

肯让自己午睡呢

同性的光环

既是同性

又是一性

又是分别的

二性

和二性的

一性

同性的光环

既是圆

又是方

不只是男男

不只是女女

又是男女男女

又是灯光

在那里

看懂手

看懂帆

看船

和鸽子和海鸥

孩子们最早仙化

在路上

既不是看见了它们

又不是曾记得它们

多么未见得

不是想起自己

不是惦念他人

把抽象搁置一边

请那些具象消逝

光环久远

再不再照耀

释放这些雨了

这些雷

释放这些坟墓和房子

三月的桃花再红时

使时钟与城池仙化

这群海鸥　　向一口古井

我们

微弱

整日里我都是什么呀

用树叶

在枝条上弹奏

一闭眼

就听见蟋蟀的声音

一伸手

才发现数不清空气

我的耳朵里是流水

我的眼里是河水

我的手里是心情

我和另一只脚

积满了海滩

和淤泥

究竟要我怎样想啊

那鸟的心　准是鸟

船的心　准是船

鸽子的心准是鸽子

而水的心准是水

命运

能容我怎样来打量

仔细地

从这里往外移

世的界

缓缓地

又从那心里往这儿望

末了

谁又肯听凭我来说一句

都是心

都是路

共一江秋水

都有力

都依据

都是正

让我怎样来抓紧手指

我怎样开口说

是我了帆

是我了风

是我上船

为海鸥

是海鸥

是我张挂着

使我羞愧

使我低头

我嗅着的

分明是我自己开放

又怎能为了水

而面对着水

我这种水

又怎么会明白

怎样来沉思和推动

作为水的

我的

突起的

前额

只有眼睛事先彻悟

它一旦有了光

又从光中

有了船

前额靠向木与火

泥土天天堆积

黄金下的水无缘无故

包裹着整个的

世的界

但是眼睛

你包裹不起自己

与那魂灵敞开的

甬道

所以船要再度撑开

要梦帆

帆要梦桅杆

谁能梦见岸

岸又刻不容缓

靠近了海

与潮

设想纵以千年万年

的超越

来透穿峡谷

汇聚海

纵凭船

对树叶的装载

我是否真的曾经说过

鸽子永远飞不出鸽子

前额必须由前额来承担

而心

命定会出现在心的表面

担负起此心的

此时此刻

此在

射雕

你就是英雄

你站在上面

你哆

你乃

你咪

你就是最最

就是100

你可以最最哆

可以最最乃

可以最最咪

但是你不能老是说

冲冲冲

你只100

请威来嗅嗅乃咪

请过区嗅嗅乃哆

你和我在现在

在一起

嗅嗅

咪咪咪咪咪咪咪咪

乃

咪

那是你就是最哆

而我只好最乃

但是我站在外面

我管你叫作

哆咪

我管别的海岸叫作

哆乃

我管这个世界叫作

肖咪哆

我说

这世界仅仅是一个流派

习惯了很久的

肖咪哆

流派

而已

它吹着号

召唤自己

它吹

咪哆咪哆

它在它的房间里

又是世的界里

回应自己

而已

而已而已

黄昏来临

眼睛里面的树叶

还在把眼睛外面的树叶

翻译成鸥鸣

那远一点的

近一点的

大一点的

小一点的

在高处和低处和外围

点点点的

对天的反面的

绝妙补充

被翻译成

鸥鸣

它不倒退

不游离

打通了千里万里

扶摇直上

出尔反尔

去太端

从太极

驾驭在听觉上

受不了自己的惊醒

又返回自己去惩罚自由

按捺海

按捺帆和脖颈

为点点点的鸥鸣

而叛逃

又为纷纷飞飞的落叶

而肃杀

而羞涩

无语

我这样坚持不停地

知道了我的背部

我这些坚持不懈的

帆

船

和海鸥

我这样坚持不停地

知道

了解

何以从水底

了解水面

从宝石的深处和中心

了解慧

了解明

它没有太阳

没有太阴

天不干

地不支

神也不知

鬼也不觉

因为已经太神

而且太鬼

所以它通常

只以知晓自己

用整个身体来流泪

每一年的夏季

听鬼哭狼号

与浮云一道听手

听帆

听我和你

是异性

是同性

听雨声

为自己而保护自己

掩饰浸润

移不开胸前这些墙壁

挑战

在自己里

应战

在自己里

不以克敌制胜

不以自败俱伤

问海鸥

自己

在自己上

让眼睛来独立地做梦

让它成双地悬在额上

也就是

让眼睛自己来想想

曾经

怎样

它断然地梦见了光

梦见了帆

船

水和土地

既然所见的一切

都是眼睛所梦

问问哪一天

它又肯再豁然一次

梦见跑与跳

和消失

就是看见世界

和停泊

但是

你这晴朗

和你这泪水

和这雷同

已使你与眼睛不再换梦

你只使真理逼真

使远方逼近

作为公式的源泉和证明

你的交叉

和你经常的不醒

已为常驻的男女所收授

那各式的目光

虽然也在春天辉映着颜色

抢夺那不尽的太息

却未曾把你的毁坏

推向崩溃和惺忪

就靠水

靠泪

靠裂解

图解

和肢解这群光

这场梦

也依然要做下去

试问光梦见的

唯独是眼睛

记住的

才是船

帆

翅膀

和窗户

在数学中

在深渊里

腿所想到的

腿完全能承担

无论是站好

还是坐好

腿所崇尚的

腿从不会推翻

它是反复和重合

凭对称

凭交替

凭2

凭走

走

左走右走

纵然在磁石与铁屑之间

深感到一种纷飞

触摸过南北极的冰雪了

它还是

从不恐惧

从不介入

也从不亲近

太阳

你的光辉意味着同性和放射

一只凭空的眼睛

就一对同性和恋人

在你和沐浴下

洗涤

那看见了的帆

看见了的船

和鸽子

渴望你凌空支起的支配

绝不是大师

又不靠知识

岂能容记忆如此闪烁

容海鸥不要眩晕

在沐浴中望着你

最早仙化的

一片人之群体

与脱节毫不相干

对于热闹

和对于偏爱

的步步迫近

无懈可击

和有懈可击

会加在一起

等于尾随在船队稍后

又是疲塌

但是实践

对于桨划动船

不算失误

不算要求

不算甘愿

不算转身面向大海

更加无愧和止步

它更精细些

更正确些

抛弃二

接着抛弃一

对于许诺

它无厢情愿

在横向上搭一根桅杆

在纵向上也搭上一根桅杆

于日光中

搭这些比比垂直的十字

横与竖永远抱紧

一阵风

那样绕各自的轴线旋转

世的界

就只会无情地

自己毁坏自己

你的在

就像是你的不在

它最直接

最身份

对于你自己的身败名裂

它只愿

重新确定一次日出

重新坚守一阵方向

不会被沉默所压倒

不再因揭露而弹跳

一个无以任用的大漏洞

看上去

正如穹隆的黄昏

但是哲学家看见的

猫头鹰看不见

哲学猫头鹰看见的

哲学家又看不见

只能凭眼睛和相互一瞥

来沟通

这异类和智慧

一瞥一瞥而颤抖

对于它的全盘流动的回环

所有的眼睛

使智慧不再分门别类

它们就在眼与睛之间

那眼光和研究

又岂止在眼前搁浅

看船

问帆

看手

问海鸥

向房顶和墓地

看垂落

向淡化

问翠绿

张开这张帆了

握紧这双手

看白帆发生

看伪爆炸形成

看极小的一点

被拖延

无端的无性

看它怎样被加冕

而那为加冕而落下的天空

还迟迟地浮在天上

户外是

还在落成

居然不通过2

居然不通过1

居然自行

让游荡

按下这只大腿

那只又知道点什么

居然在此地捉住了

由彼地生长过来的叶脉

口含这样的清水

照耀在金波粼粼的河上

就此打住自己

涉足停下来的昨日和明日

就此跳

同样的阳光

歇下来

另有发扬

一切都面向溶化

动作

就是作品

使自己预想不到

每一个

下一句

和每一次

滑

如果不是在天地之间

那么

我

就是你

从月亮到月亮

原来在一个

自身之群体

迷什么是完整

高论不能挑剔

对某些

预想不到的

船

的到达

稳定

就是我合并你

在任何一块石头上

都可以坐下来

看山

看水

看船

看帆

看海鸥和鸽子

想着树叶和鸟

晒太阳

想岁月

那样介入自己

那样来回走动

翻过山冈

走过草地

在一些轮廓上

指远

指近

指周围

指浮光与掠影中

哭的

究竟是什么呢

每一条铁路的两边

都长着草

每座山上

都长着树

河床上

就是有石头

土地上

就是有沙

花是开放的

路

是从这里到那里的

对这些

哭的是什么呢

可以用抚摸

来要求我

可以用声音

响我

放弃任何理由

来期待

强求一种评说

把支援撤下来

这里是举世的

清晰的

不回答的

东西

一身而睡

一身而走

一身而行

是木然　纯然

和了然

已经扎扎实实

已经到手到身

是在握的木质

掺和着笑

新生

掺和着水

还有帆　船

海鸥和鸽子

还有

海潮

与渔村

是纯

不因喧嚣而争议

不因报废

而蒙受损失

针对我的脸庞

你不要惧怕

针对这些扫帚

这些它

七十六年有一次

这些航天史上垂青的石头

你的眼　耳　鼻　舌　身

不要沉默

这些干干净净和头颅

无门之路

最隐秘的开端

不要惧怕

我斑纹

不再向你长大

不再跑跳跨越

我的帆

我的船

我　海鸥和鸽子

1988 年

在山的那边

王家新

小时候，我常伏在窗口痴想——

山那边是什么呢？

妈妈给我说过：海

哦，山那边是海吗？

于是，怀着一种隐秘的想望

有一天我终于爬上了那个山顶

可是，我却几乎是哭着回来了——

在山的那边，依然是山

山那边的山啊，铁青着脸

给我的幻想打了一个零分！

妈妈，那个海呢？

在山的那边，是海！

是用信念凝成的海

今天啊，我竟没想到

一颗从小飘来的种子

却在我的心中扎下了深根

是的，我曾一次又一次地失望过

当我爬上那一座座诱惑着我的山顶

但我又一次次鼓起信心向前走去

因为我听到海依然在远方为我喧腾——

那雪白的海潮啊，夜夜奔来

一次次浸湿了我枯干的心灵……

在山的那边，是海吗？

是的！

人们啊，请相信——

在不停地翻过无数座山后

在一次次地战胜失望之后

你终会攀上这样一座山顶

而在这座山的那边，就是海呀

是一个全新的世界

在一瞬间照亮你的眼睛……

《长江文艺》1981年5期

火狐

韩作荣

火狐从雪原驰过

将山野划出一道流血的伤口

也许这是潜在的贴近本能的伤害

就像风不能不在草尖上舞蹈

与寂静相邻，是因失血而苍白的忧伤

淡泊了优雅且有节制的情感

眼含古老的液体洗刷昼夜

便浇熄了瞳仁里两堆焦灼之火

火狐依然漂亮着，像灿烂的谎言

诱惑将我带入貌似平静的暴戾

哦，你虚假的火，施展魔术的红布

迷茫中我计数你谜一样的足印

一滴埃利蒂斯的雨淹死了夏季

你虚设的嘴唇再也不会卷起风暴

太阳已经远离，不在我的脉管运行

我的孤寂平静如山谷的积雪

《星星》1990年2月号

面朝大海，春暖花开

海 子

从明天起，做一个幸福的人

喂马，劈柴，周游世界

从明天起，关心粮食和蔬菜

我有一所房子，面朝大海，春暖花开

从明天起，和每一个亲人通信

告诉他们我的幸福

那幸福的闪电告诉我的

我将告诉每一个人

给每一条河每一座山取一个温暖的名字

陌生人，我也为你祝福

愿你有一个灿烂的前程

愿你有情人终成眷属

愿你在尘世获得幸福

我只愿面朝大海，春暖花开

《花城》1990 年 4 期

元宵节

曲有源

为了正月十五晚上能有雪

天　就起了一个大早

准备了足够的乌云

按规矩

这一天的灯

是要用雪来打的

雪打灯制造出来的气氛

和春天蝴蝶在花丛中飞舞

相类似

元宵是滚动的沸水旋圆的

不用围锅去观察

你　也能认可

那热气腾腾的元宵却不是吃的

而是闹的

我说是从这个孩子的酒窝

滚到那个孩子的酒窝

你不必像看乒乓球似的

那么认真

只要听听笑声

也就够了

要说起闹来

姑娘们往往抿着嘴儿不说什么

她是把元宵

当圆的绣球

去想象

这一天的焰火

是这一年秋天的

丰收景象

你要想看得广阔而又真切就得把高跷踩得

越高越好

不能踩高跷的人

就跟着他们跑

围着他们转

只要注意那些扭秧歌人的脸

也能把

这一年的收成

看个究竟

《诗刊》1995 年 5 月

白菊

李 琦

一九九六年
岁月从一束白菊开始

每天，用清水与目光为它洗浴
贞洁的花朵
像一只静卧的鸟
它不飞走　是因为它作为花
只能在枝头飞翔

从绽开之初我就担心
它打开自己的愿望那么热烈
单纯而热情　一尘不染
它是否知道　牺牲已经开始

我知道花朵也有骨骼
它柔弱却倔强地抒情
让人想起目光单纯的诗人

开放

这是谁也不能制止的愿望

从荣到枯

一生一句圣洁的遗言

一生一场精神的大雪

今夜我的白菊

像个睡着的孩子

自然松弛地垂下手臂

窗外　大雪纷飞

那是白菊另外的样子

《诗刊》1996年1月

立场之鼎

王久辛

想象它飘落而且飘落得很慢

应该是很慢的我相信

所有的立场之飘落都肯定是

很慢的我知道他们原来

都心情沉重后来放弃后来

彻底放弃于是才开始变得

轻松变得春温秋肃夏懒冬眠

我知道怀揣一方巨鼎的滋味

挪动的念头可以有但不能实现

躲避的想法可以生但不能动作

分量大于自身的千倍万倍

想象弥天可以坐穿地球

但是不能动不能与亚窦方罍媲美

立场之鼎如炼狱之火

而你的子子孙孙将生命点燃

将所有的快乐和幸福点燃

你胸雄万夫你断胆破肚你使

你自己危机四伏四面楚歌

你无悔你无悔的眼中噙两束流水

一条流作黄河一条流成长江

你汹涌你澎湃于你自己的心间

我默视你的铁枝铜杆默念

你身上的大篆小篆关于青铜时代

关于晚商的亚窦方罍我说

都不及铸鼎的现实意义　铸啊

铸啊所有失去立场或者无所谓

立场的人们都是幸福的

所以他们无视鼎蔑视鼎

仿佛这沉重的历史和现实不曾有过

仿佛大地欣欣向荣

而我却是一个睥睨现实而珍视

历史的情人我不说人话

我在地层深处与鬼神交

为它们的冤魂而泣泪于今晨

我呼鹰唤虎我召英聚雄

我说铸吧铸吧

为所有无言的立场铸鼎

为所有痛苦的灵魂铸鼎

鼎呀铸啊　铸啊

《羊城晚报》1996年2月26日

　　　　　　　　　　　　　　　　　　诗歌卷

北站

肖开愚

我感到我是一群人。

在老北站的天桥上，我身体里

有人开始争吵和议论，七嘴八舌。

我抽着烟，打量着火车站的废墟，

我想叫喊，嗓子里火辣辣的。

我感到我是一群人。

走在废弃的铁道上，踢着铁轨的卷锈，

哦，身体里拥挤不堪，好像有人上车，

有人下车，一辆火车迎面开来，

另一辆从我的身体里呼啸而出。

我感到我是一群人。

我走进一个空旷的房间，翻过一排栏杆，

在昔日的检票口，突然，我的身体里

空荡荡的。哦，这个候车厅里没有旅客了，

站着和坐着的都是模糊的影子。

我感到我是一群人。

在附近的弄堂里，在烟摊上，在公用电话旁，

他们像汗珠一样出来。他们蹲着，跳着，

堵在我的前面。他们戴着手表，穿着花格衬衣，

提着沉甸甸的箱子像是拿着气球。

我感到我是一群人。

在面店吃面的时候他们就在我的面前

围桌而坐。他们尖脸和方脸，哈哈大笑，

他们有一点儿会计的

假正经。但是我饿极了。他们哼着旧电影的插曲，

跨入我的碗里。

我感到我是一群人。

但是他们聚成了一堆恐惧。我上公交车，

车就摇晃。进一个酒吧，里面停电。我只好步行

去虹口，外滩，广场，绕道回家。

我感到我的脚里有另外一双脚。

《小杂志》1997年10月

虚构的家谱

西 川

以梦的形式，以朝代的形式

时间穿过我的躯体。时间像一盒火柴

有时会突然全部燃烧

我分明看到一条大河无始无终

一盏盏灯，照亮那些幽影憧憧的河畔城

我来到世间定有些缘由

我的手脚是以谁的手脚为原型？

一只鸟落在我的头顶，以为我是岩石

如果我将它挥去，它又会落向

谁的头顶，并回头张望我的行踪？

一盏盏灯，照亮那些幽影憧憧的河畔城

一些闲话被埋葬于夜晚的箫声

繁衍。繁衍。家谱被续写

生命的铁链哗哗作响

谁将最终沉默，作为它的结束

我看到我皱纹满脸的老父亲

渐渐和这个国家融为一体

很难说我不是他：谨慎的性格

使他一生平安；很难说

他不是代替我忙于生计，委曲逢迎

他很少谈及我的祖父。我只约略记得

一个老人在烟草中和进昂贵的香油

遥远的夏季，一个老人被往事纠缠

上溯300年是几个男人在豪饮

上溯3000年是一家数口在耕种

从大海的一滴水到山东一个小小的村落

从江苏一份薄产到今夜我的台灯

那么多人活着：文盲、秀才

土匪、小业主……什么样的婚姻

传下了我，我是否游荡过汉代的皇宫？

一个个刀剑之夜。贩运之夜

死亡也未能阻止喘息的黎明

我虚构出众多祖先的名字，逐一呼喊

总能听到一些声音在应答；但我

看不见他们，就像我看不见自己的面孔

《人民文学》1994年第2期

起风了

娜　夜

起风了我爱你芦苇

野茫茫的一片

顺着风

在这遥远的地方不需要

思想

只需要芦苇

顺着风

野茫茫的一片

像我们的爱，没有内容

《星星》1998 年 5 月

一个钟表匠人的记忆

西　渡

我们在放学路上玩跳房子游戏

一阵风一样跑过，在拐角处

世界突然停下来碰了我一下

然后，继续加速，把我呆呆地

留在原处。从此我和一个红色的

夏天错过。一个梳羊角辫的童年

散开了。那年冬天我看见她

侧身坐在小学教师的自行车后座上

回来时她戴着大红袖章，在昂扬的

旋律中爬上重型卡车，告别童贞

在世界的快和我的慢之间

为观察留下了一个位置。我滞留在

阳台上或一扇窗前，其间换了几次窗户

装修工来了几次，阳台封上了

为观察带来某些不同的参照：

当锣鼓喧闹把我的玩伴分批

送往乡下，街头只剩下沉寂的阳光

仿佛在谋杀的现场，血腥的气味

多年后仍难以消除。仿佛上帝

歇业了，使我和世界产生了短暂的一致

几年中她回来过数次，黄昏时

悄悄踅进后门，清晨我刚刚醒来时

匆匆离去。当她的背影从巷口消失

我猛然意识到在我和某些伟大事物

之间，始终有着无法言喻的敌意

很多年我再没见她。而我为了

在快和慢之间揳入一枚理解的钉子

开始热衷于钟表的知识。在街角

出售全城最好的手艺：在我遇上

我的慢之前，那里曾是我童年的后花园

在我的顾客中忽然加入了一些熟悉

的脸庞，而她是最后出现的：憔悴、衰老

再一次提醒我快和慢之间的距离

为了安慰多年的心愿，我违反了职业

的习惯，拨慢了上海钻石表的节奏

为什么世界不能再慢一点？我夜夜梦见

分针和秒针迈着芳香的节奏，应和着

一个小学女生的呼吸和心跳。而她是否听到？

玷污了职业的声誉，失去了最令人怀恋

的主顾：我多么愿意拥有一个急速的夜晚！

之后我只从记者的镜头里看到她
作为投资人为某座商厦剪彩，出席
颁奖仪式。真如我盗窃的计谋得逞
她在人群中楚楚动人，仿佛在倒放的
镜头中越走越近，随后是我探出舌头
突然在报上看到她死在旅馆的寝床上
死于感情破产和过量的海洛因：
一个相当表面的解释
我知道她事实上死于透支，死于速度的衰竭
但为什么人们总是要求我为他们的
时间加速？为什么从没人要求慢一点？

这是我的职业生涯失败的开始
悲伤的海洛因，让我在钟表的滴答声里
闻到生石灰的气味：一个失败的匠人
我无法使人们感谢我慷慨的馈赠
在夏天爬上脚手架的顶端，在秋天
眺望：哪里是红色的童年，哪里又是
苍白的归宿？下午五点钟，在幼稚园
孩子们急速地奔向他们的父母，带着
童贞的快乐和全部的向往：从起点到终点
此刻，我同意把速度加大到无限

《东海》1999 年 8 月

慢跑者

姜　涛

终于等到了这一天，到邮局领取退休金

可以早睡早起，完全听凭内心的安排

六月的天空像一道斜杠插入，删除床板尽头

肉感的悬崖，溅起一片燕语莺声

以及昨夜房事中过于粗暴的口令

缺乏目的，做起来却格外认真

白网球鞋底密封了洪水，沿筋腱向脚踝

输送足够的回力，一步步检讨大地

只有老套经验不足为凭，他决定尝试

新的路线，前提当然是：身披朝霞的工程师

还能爬上少妇茁壮的高压塔

"多吃大豆，少吃猪肉，每天用日记

清洗肠胃"还要剥开个性

露出人格，"看看它还能否嘶嘶作响，

像充电灯里骄傲的旧电池"

所以，他跑得很慢，知道在赛跑中
即使甩掉了兔子，还会被数不清的霉运追赶

可行之计在于为体魄化上节奏的晨妆
肚子向前冲，让时光也卷了刃
但小区规划模仿迷宫，考验喜鹊的近视眼
于是，他跑得更慢，简直就是蹑手蹑脚
生怕踩碎地上的新壳（它们沾着晨光的油脂
刚刚由上学的小孩子们褪下）

他跑过邮电局，又经过家具店
其间被一辆红夏利阻隔，他采取的是
忍让的美德，蜷起周身蔬菜一样的浪花
努力缩成一个点，露水中一个衰变的核
防备绊脚石，也防备雷霆
从嘴巴里滚出，变成肤浅的脏话

惊扰一片树叶上梦游的民工
而马路尽头，正慢性哮喘般喷薄出城市
朦胧的轮廓，清风徐徐吹来
沿途按摩广告牌发达的器官
这使他多少有点兴奋，想到时代的进步
与退步，想到成队的牛羊

已安静地走入了冰箱，而胖子作为经典

正出入于每一个花萼般具体的角落

"我们的推论丝丝入扣，像柏油里掺进了

白糖，终于在尽头尝到了甜头！"

慢跑者意识到心脏长出多余的云朵

灵魂反而减轻了负担

他跑上了河堤，双腿禁不住打晃

看到排污河闪闪发亮地伸向供热厂

一轮红日刺入双眼，在那里

明媚之中，无人互道早安

只有体操代替口语，为下一代辩护

                                        1999 年

自白

沈　苇

我从未想过像别人那样度过一生

学习他们的言谈、笑声

看着灵魂怎样被抽走

除非一位孩子，我愿意

用他的目光打量春天的花园

要不一只小鸟，我愿意

进入它火热的血肉，纵身蓝天

我看不见灰色天气中的人群

看不见汽车碾碎的玫瑰花的梦

我没有痛苦，没有抱怨

只感到星辰向我逼近

旷野的气息向我逼近

我正不可避免地成为自然的

一个小小的部分，一个移动的亮点

并且像蛇那样，在度过又一个冬天之后

蜕去耻辱和羞愧的皮壳

2001 年

我在一颗石榴里看见了我的祖国

杨　克

我在一颗石榴里看见我的祖国

硕大而饱满的天地之果

它怀抱着亲密无间的子民

裸露的肌肤护着水晶的心

亿万儿女手牵着手

在枝头上酸酸甜甜微笑

多汁的秋天啊是临盆的孕妇

我想记住十月的每一扇窗户

我抚摸石榴内部微黄色的果膜

就是在抚摸我新鲜的祖国

我看见相邻的一个个省份

向阳的东部靠着背阴的西部

我看见头戴花冠的高原女儿

每一个的脸蛋儿都红扑扑

穿石榴裙的姐妹啊亭亭玉立

石榴花的嘴唇凝红欲滴

我还看见石榴的一道裂口

那些风餐露宿的兄弟

我至亲至爱的好兄弟啊

他们土黄色的坚硬背脊

忍受着龟裂土地的艰辛

每一根青筋都代表他们的苦

我发现他们的手掌非常耐看

我发现手掌的沟壑是无声的叫喊

痛楚喊醒了大片的叶子

它们沿着春风的诱惑疯长

主干以及许多枝干接受了感召

枝干又分蘖纵横交错的枝条

枝条上神采飞扬的花团锦簇

那雨水泼不灭它们的火焰

一朵一朵呀既重又轻

花蕾的风铃摇醒了黎明

太阳这头金毛雄狮还没有老

它已跳上树枝开始了舞蹈

我伫立在辉煌的梦想里

凝视每一棵朝向天空的石榴树

如同一个公民谦卑地弯腰

掏出一颗拳拳的心

丰韵的身子挂着满树的微笑

2006年10月

重阳节

李松涛

雁阵，是季节高标的一行字母

霜风渐紧，万枝落叶

堆积成秋后可燃的情绪。

唯有耀眼的金菊——

从陶潜闲悠悠的东篱下，

从黄巢气冲冲的反诗中，

从毛泽东文绉绉的"菊香书屋"里，

探出明晃晃的头来。

邀约好友！佩茱萸——

携微醺之耳，怀共鸣之心，

登高。杯盏相酬。歌吟。

《高山流水》横入清秋前沿，

呼唤知音……

古人摔琴那一声轰响，

音波回环，震落多少帆樯？

笠舟陡倾，一条黄河红鲤咬钩，

下酒？祖父饥不择食……

……若干年后，

从我的喉中取出横亘的鱼刺，

嗅嗅——不腥，古气十足！

难以消化的历史症结，

沿着血缘顺流而下了……

（祖父和我两个男人相加，

——亦可谓"重阳"也！）

镰刀朝场院的谷垛点头示意，

——意犹未尽

锈，就攀墙吻遍了它的面庞。

太阳确是真君子，

观沧桑棋弈，缄口不语，

偶遣阴晴为话，传递居高临下的感受：

胜负，皆载尘世！

弦外之音，听须聪耳，

景外之境，看须慧眼。

不然，那无限江山，

何以瘦成冷秋疲倦的背影？

一篮秋色，稳稳晾晒于牛背，

沐禾尘、沐民谣、沐夕晖，朗朗而归；

敦敦实实的碾台痴卧村头——

迎候在三代之前。

五步开外，隔一萧萧老秋，

系好鞋带的严冬正快步赶来……

《诗刊》2003年4月号上半月刊

未名湖

虚拟的热情无法阻止它的封冻。

在冬天，它是北京的一座滑冰场，

一种不设防的公共场所，

向爱情的学院派习作敞开。

他们成双的躯体光滑，但仍然

比不上它。它是他们进入

生活前的最后一个幻想的句号，

有纯洁到无悔的气质。

它的四周有一些严肃的垂柳：

有的已绿荫密布，有的还不如

一年读过的书所累积的高度。

它是一面镜子，却不能被

挂在房间里。它是一种仪式中

盛满的器皿所溢出的汁液；据晚报

报道：对信仰的胃病有特殊的疗效。

它禁止游泳；尽管在附近

书籍被比喻成海洋。毋庸讳言

它是一片狭窄的水域，并因此缩短了

彼岸和此岸的距离。从远方传来的

声响，听上去像湖对岸的低年级女生

用她的大舌头朗诵不朽的雪莱。

它是我们时代的《变形记》的扉页插图：

犹如正视某些问题的一只独眼，

另一只为穷尽繁琐的知识已经失明。

《新诗》2003年11月

晨风正在穿越大地

大　解

晨风正在穿越大地从石家庄至北京

华北平原无遮无蔽我坐在火车上

翻看一本旧书偶尔抬头

看见许多事物一掠而过原野在飞速撤退

透过车窗霞光迎面扑来

远方的城镇和村庄飘出烟缕

我认不出更远处的事物麦苗和畦埂

分割着田野有人藏在地下

趁着春天抽出油绿的叶子

正是从那秘而不宣的根须和叶脉上

形而上的晨风从四面八方涌入我的窗口

吹乱了我的书页唉多少年过去了

一群呼号奔走的人长衫飘飘

就这样倏然隐没在历史和文字之中

时间会不会重来

让我在古城遇见他们的背影?

再过一小时北京就将出现在我的视野里

火车在加速似乎只有加速

才能追上前人匆忙的一生

但谁能在风中久留?

谁能从纪念碑的浮雕上走下来

甩动着荷叶似的黑发手捂着胸脯

等待我来临?

此刻曙光所照耀的马路在原野上分岔

一群逆风骑车的中学生向我招手致意

而火车呼啸而过沿着卧倒的天梯直冲向黎明

火车经过华北平原中间没有停留

我从车窗伸出手去感到风

一直在吹这虚无而持久的力量

使地上的麦苗和孩子不住地拔节

模仿做梦的青草轻轻晃动

《诗刊》1999年5月

捕风记

张执浩

风来的时候，我静止
一些扬尘，一些落叶，一些鬼魂
在夜里，恐惧死的人
又在厌倦生

风声使一个年迈者的心跳慢下来
终于可以慢了，终于可以回头了
让泪水随意流下了
无所顾忌地亮出他软肋了

就像在没有风的时候，他亮出刀子
尽管只是道具，但没有人计较过真伪

就像他当年，为推倒一面墙壁
索性又建造了另外一堵

我不会指责眼前这些不合脚的鞋子

大风过境时，它们跑散了

鞋帮变形，鞋带松散，模样

狼狈又淘气。但是，我会在意

流云过后再度从墙脚下站立起来的

那个人，他昨日赤脚，现在更是赤身裸体

他的幸福鲜为人知，只有风

搜索过他凹陷的肚脐，可是，风才不管这些呢

《诗潮》2008 年 10 月

祭父帖

雷平阳

原本山川，极命草木

——题记

像一出荒诞剧，一笔糊涂账，死之前

名字才正式确定下来，叫了一生的雷天阳

换成了雷天良。仿佛那一个叫雷天阳的人

并不是他，只是顶替他，当牛做马

他只是到死才来，一来，就有人

把66年的光阴硬塞给他

叫他离开。而他也觉得，仿佛自己真的

活了66年，早已活够了，不辩，不说谜底

不喊冤，吃一顿饱饭，把弯曲的腰杆绷直，

平平地躺下，便闭了眼

如果回顾他，让他在诗歌中重生

让他实实在在地拥有66年

是我的职责，我将止住一个诗人对虚无的悲哀

并尽力放大一个儿子灵魂的孤单

迷雾只为某些人升起，金字塔一样的火焰

炙烤的是狮子、老虎、鹰隼和鬼怪

他上不了桌面，登不了台，一个老农夫的儿子

在有他之前，悲苦已经先期到来，第一声啼哭

便满嘴尘埃。老农夫的妻子

抱着他，逗他："笑一下，你笑一下。"

他就笑了，一张被动的、满是皱纹的笑脸，像老农夫的父亲

心有不甘，隔了一代，又跑回来索取被扣下的盘缠

围着他的棺木，我团团乱转，一圈又一圈

给长明灯加油时，请来的道士，喊我

一定要多给他烧些纸钱，寒露太重，路太远

我就想起，他用"文革"体，字斟句酌

讲述苦难。文盲，大舌头，万人大会上听来的文件

憋红了脸，讲出三句半，想停下，屋外一声咳嗽

吓得脸色大变。阶级说成级别，斗争说成打架

一副落水狗的样子，知道自己不够格，配不上

却找了一根结实的绳索，叫我们把他绑起来

爬上饭桌，接受历史的审判。他的妻儿觉得好笑

叫他下来，野菜熟了，土豆就要冰冷

他赖在上面，命令我们用污水泼他

朝他脸上吐痰。夜深了，欧家营一派寂静

他先是在家中游街，从火塘到灶台，从卧室

到猪厩。确信东方欲晓，人烟深眠

他喊我们跟着，一路呵欠，在村子里游了一圈

感谢时代，让他抓出了自己，让他知道

他的一生，就是自己和自己开战。他的家人

是他的审判员。多少年以后，母亲忆及此事

泪水涟涟："一只田鼠，听见地面走动的风暴

从地下，主动跑了出来，谁都不把它当人，它却因此

受到伤害。"母亲言重，他其实没有向外跑

是厚土被深翻，他和他的洞穴，暴露于天眼

劈头又撞上了雷霆和闪电，他那细碎的肝脏和骨架

意外地受到了强力的震颤。保命高于一切

他便把干净的骨头，放入脏水，洗了一遍

我跪在他的灵前，烧纸，上香

灵堂中，只有他和我时，我便取出刚出的新书

《我的云南血统》，一页一页地烧给他

火焰的朗读，有时高音，烧着了我的眉毛

有时低语，压住了我的心跳。白蝴蝶抱着汉字

黑蝴蝶举着图片，一切都很生僻，为难他了

我想请那个扎纸火的道士，给他扎一个书生

他也该识文断字，打开慧眼。但忍住了，听天由命

他该如何如何，他该怎样怎样，一生

他都在接受，从没选择过，从没发言权。这一次

我们不要插手，不加码，不沾边，不上纲上线

再不能逼他了，1974年的冬天，大雪封锁滇东北高原

粮柜空空，火塘没柴，一家人跟着他吃观音土

喝冷水，感觉死神已在雪地上徘徊

一小块腊肉，藏于墙缝，将用于除夕，五岁的弟弟

偷了出来，切了一片，舍不得吃，用舌头舔

他发现了，眼睛充血，把弟弟倒提起来

扔到了门外。雪很深，风很硬，天地像个大冰柜

光屁股的弟弟，不敢哭，手心攥着那片肉

缓慢地挪向旁边的牛厩。牛粪冒着热气

弟弟把肉藏进草中，才把冻僵的小手和小脚

轮流塞进粪里取暖。母亲找到弟弟，像抱着一截冰块

疯了似的，和他拼命。他不还手

胸腔里的闷雷，从喉咙滚出来

像在天边。我们都看见了他的泪

像掺了太多的骨粉，黏糊糊的，不知有多重

停在脸颊上，坠歪了他的脸。他又一次

找了根绳索，把自己升起来，挂在屋檐

一个还没有嚼完黄连的人，想逃往天堂

谁会同意呢？他被堵了回来。五岁的弟弟

从牛厩中找出那片肉，在邻居的火上，烧熟了

递到他的嘴边。他一把抱住弟弟

哭得毫无尊严可言。为生而生的生啊

你让一个连死都不畏惧的男人，像活在墓地上面

1982年，水里的青蛙、鱼虾，地下的石头、耗子

埋得最深的白骨，成群结队，跳了出来。它们来到阳光下

寻找和确认它们的主人。土地下放了，每一颗尘埃

有了姓名，每一条沟渠，变成了血管。大地上，到处都是

怦怦直跳的心脏，向日葵的笑脸。他和他的几个老哥们儿

提着几瓶酒，来到田野的心脏边，盘腿坐下，开怀畅饮

不知是谁，最先抓了一把泥土，投进嘴巴，边嚼边说

"多香啊多香！"其他人，纷纷效仿。用泥土下酒，他们

老脸猩红，双目放光，仿佛世界尽收囊中

醉了，一个个打开身体，平躺在地，风吹来灰尘和草屑

不躲，不让，不翻身。不知是谁，扯着嗓子

带头唱起了山歌："埋到脖子的土啊，捏成人骨的土……"

泪水纷纷冲出了眼眶。就像比赛，他们边唱边哭

有人噎住了，有人把头插进了草丛，有人爬起来，扒光衣服

在田野上奔跑，有人发呆，有人又抓了一把土，投进口中

他睡着了，怀中抱着一块土垡。醒来的时候，身边的人

全都走了，空旷、沉寂的田野，夜色如墨，一丝白，是霜

我的弟弟，四十不惑，跪到了我的旁边，又一条汉子

曾经在我面前，哭得用孝帕死死地捂住双眼

"如果他能活过来，别说纸钱，把我烧给他

我都没有怨言。"弟弟是个民工，也是睁眼瞎

和他同命，有力使不出来，有苦不敢对人言

活在生活的刀刃下。入殓时，他的眼睛留着一条缝

是弟弟帮他关了浮世的门，又顺手拉响天空的门铃

多年来，弟弟举家漂泊，到处卖苦力，但总是两个月时间

回家一次，给他理发，修剪指甲

还领着他去了一趟昆明，爬上了西山龙门

眺望了五百里滇池。照下的相片，他患上老年痴呆症之后

身无长物，却仍然放在贴身的衣袋，偶尔翻出

一看就是半天。弟弟总结：他的66年

一直在一根烟囱里，浑身黑透了，向上攀登

刚看到了天，一朵乌云，又遮住了天

他的两个姐姐，一个下落不明，一个风烛残年

两个哥哥，家族的坟山上，地心里喝酒

两堆白骨，一堆劝另一堆："你腰疼，多喝一点。"

另一堆又推回土碗："你的风湿病复发了

还是你多喝一点。"其他的穷亲戚

也是些泥土捏成的牛马，在山坳，在田间

弟弟去报丧，猛然跪下去，没有一个

表现出惊愕。仿佛他已活了几百年，仿佛

只要他还活在他们中间，他就会堵断

每一个溃逃者的路线。鼓队、狮舞、唢呐手、山歌王

猪羊祭、三牲祭、花圈、家祭、牌坊、纸幡

和挽联，鞭炮炸掉菜园，孝子像白鹤，匍匐在地

空气中的寺庙里，也许有人哭得死去活来

他的葬礼上，人们在狂欢。喝醉了的人

把赌桌掀翻，有人提议，这种人

应该跪在灵前，头上点一支蜡烛，天天给亡人点烟

我的哥哥，沉默寡言，关键时候，平息了争端

"都是亲戚，谁都不准丢脸！"

这一个他的大儿子，宅心仁慈，娶老婆

快嘴李翠莲，交的朋友，父死守灵扶尸睡

逢人从来不说鬼。生前，他和大儿子

炉盖上喝葡泉二曲，一人一斤，你不推我不劝

你不语我不言，两个哑巴，两张红脸

鸡叫了，站起身来，不知是谁，拉开门

菜地里摘了个苹果，嚼了一半，随手就丢给了

早起的土狼犬。多么忠诚的土狼犬，守门十多年

没咬过谁，也没让谁顺手牵羊。1993年

乡政府的打狗队，开进村来，远远地，它嗅到了

杀气，躲进了母亲的寿木。越安全的地方

越危险，土狼犬，被揪了出来，当着母亲的面

胸脯张开一张嘴，吞下了一颗飞来的子弹

那晚，他和母亲坐在屋外，望着天，又不敢

骂天不开眼。天一亮，两个人，折腾了好久

才从狗心上取出了那颗子弹。葬它于篱笆兮

守我田园；葬它于树底兮，魂附树体

可以登高望远。半个月后，他进城取钱，二儿子的稿费

200元，四分之三，藏在鞋内，四分之一

大肚子收音机，买了两台

他跟小儿子吹嘘："一台随身带，另一台

放在家里，出门时打开。小偷光临，听见声音

肯定不敢胡来。"用收音机守门，他唯一的秘密

哦，跪在我旁边的弟弟，时间仅仅

过去了10年啊，那个50岁的农夫

他怎么就花光了土地到手的喜悦，抛弃了

衣食不愁的信仰和现状？你听，吊孝的人群中

一个驼背，正跟一个瘸子说："他肯定是死于胃病

他的命多硬啊……"的确，在矮人国，他的后半生

就像个生活的巨人，集市上买肉，柜台前沽酒

花小钱，眼都不眨。生点小病，就住医院

身上装着的药丸，五彩斑斓。多么难以猜度

从黄连中嚼出了甜，像在地狱的深处，刨出了桃花源

鬼迷心窍，可他仍然迷恋着野草越长越深的村落

打工回来的年轻人，看见他挖地，问他

"还没挖够，是不是土里埋着宝石和银元？"

他的儿女们，也在外面，话不顺耳，但他从不接茬

最终，艰辛的劳作还是又一次击溃了他

一把老骨头，秋风里冒大汗，风寒，继而毁掉了肺

为此，他住进了医院。同一间病房，都是等死的人

他眼皮底下一张张床，空得很快。来填空的人，也是农夫

不敢问价，像进旅馆，住一夜，抬回了家

他的嘴一度很硬，不相信死神就在床边，他有着

足够多的未来。崩溃始于手术前，他说他的眼前

全是刀光，手不听话，双脚发颤，小儿子抱着他

多像抱着一台点火后没有开动的履带式拖拉机

后来，是他自己稳住了，向我招手，示意我坐在床沿

深深叹一口气，他说起了他见过的死——

某某死于天花，某某死于饥寒，某某死于溺水

某某死于武斗，某某死于暴饮，某某死于屋塌

某某从高空坠落，某某在狂笑中突然翻白眼

某某喝了农药，某某在批斗时倒下

某某被人奸杀，某某走暗路头上挨了一砖

某某触电，某某被牛踩扁，某某至今还在刑场上

胸口上的桃花，开得很艳……像阎王的生死簿

祭父帖

他罗列了一串，有的还是我少年时的玩伴

与死去的人相比，他说他多活了这么多年

没用推车，他自己走进了手术间

母亲坐在空空的走廊，我和哥哥弟弟，在厕所门前

不停地抽烟。妹妹在家煮饭，电话里一直在问

有没有危险？苍天有眼，他果然只是跟死神

打了一个照面，问安，再见。他能转身回来

我们为此举办了一个家宴。他以水代酒

戒烟，发誓要丢开与他搏斗了几十年的农田

灵堂里这些亲戚，有几个正在回忆

他几年前从医院出来时的笑脸："一点也不像地狱中

回来的人，走路比别人还快。"亲戚们说着说着

女的哭了，男的点支烟，放到他的灵位前

我的膝盖，疼得钻心，弟弟也换了几次姿态

那时，夜已深沉，一颗颗飞起的尘埃正落向地面

香火师把嘴贴着我的耳朵："这么多孙子

把他们换上来，你们不能跪久了，明天还要出殡。"

时间刚过去半个月，我已记不清，那天

是谁扶着我从灵堂走到了屋外。落了几天的雨

突然停了，星汉灿烂，河堤上的核桃，枝条上扬

奋力向空中，排放着悲哀。牌坊上的对联

"人间才少慈父，天堂又增神仙"，碘钨灯照着

斗大的字，松枝丛里，像群伺机跃出的狮子

从老祖分支，他的这一辈，除了姑妈，还剩下

他的一个堂哥，白发苍苍的老木匠，年轻时弹月琴

村子里第一个骑自行车，中山服，翻毛皮鞋

垂垂老矣，硕果仅存。一个人缩在灵堂的角落

几天来不舍昼夜，手上始终握着酒杯，就像那一辈人

的代表，一半是人，一半是鬼，奈何桥头，一脸的灰烬

偶尔，从年轻人手中，拿过话筒，苍茫的夜空

响起悲怆的孝歌。都送走了，留一个人在世

老木匠的眼眶里，似乎翻动着一缕地狱的凉风

无论何时，都应该是圣旨、律法、战争、政治

宗教和哲学，低下头来，向生命致敬！可他这一辈

以上的更多辈，乃至儿孙辈，"时代"一词，就将其碾成齑粉

退而求其次的生，天怒、土冷；只为果腹的生

嘴边上又站满了更加饥饿的老虎和狮子；但求一死的生

有话语权的人，又说你立场、信仰、动机

没跟什么什么保持一致。生命的常识，烟消云散

谁都没有把命运握在自己的手心。同样活于山野

不如蛇虫；同样生在树下，羡慕蚂蚁

去年秋天，几个朋友，想看一眼诗人的故乡

辽阔的昭通坝子，水稻和蜻蜓翅膀下的路

越野车一再熄灭，坑连着坑，我们仿佛是去造访山顶洞人

从昭通城出发，五公里路，用时近两小时。门前的小路

比几个月前我来的时候更荒，青草盖住了月季

水沟很久没人光顾了，青苔封住了水。几棵花椒树

满身是刺，被蛛网一层一层地包裹，像几个巨大的棉球

如今用作灵堂的地方，堆着玉米的小山，刚一进门

我就看见他苍白的头，像小山上的积雪

喊一声"爹"，他没听见；又喊一声"爹"，他掉头

看了一眼，以为是乡干部，掉头不理，在小山背后

一个锑盆里洗手。念头一闪而过，那小山像他的坟

走近他，发现一盆的红，血红的红。他是在水中，洗他的伤口

我的泪流了下来，内心慌张，手足无措

也就是那一天，我们知道，他患上了老年痴呆症

灵魂走丢了。自此，他必须成为母亲的影子

而他，满世界的人，也只认得出我的母亲

我的母亲，在这守灵之夜，在这他人世的最后一夜

风湿病，走路像个瘸子，但一直在灵堂和厨房之间

忙个不停。不是忙着做什么，是想忙，不敢停下

相依为命的人，冤家，债主，体内的毒素

说没就没了，多小的世界呀，转身就是脸对脸

一张嘴巴里的上牙和下牙，一颗还悬着，另一颗

掉了，明天就要入土。灵柩已擦了无数遍，暗淡之光的镜子

照得出人影，可以梳头。我劝母亲，坐一下吧

那遗世的孤独，像隐形的敌人

把母亲等同于灵前的香灰，盖棺的泥土

我们就这样，像几个吝啬鬼，从肺腑中，一分一分地拿出

夜的金币。从来都怕黑暗，却想截留那断魂的一夜

道士找了一套他生前的衣服，让一条木凳穿上

由大哥背着，为他开辟升天的坦途。那木凳

真像他啊，一副空架子，头手耷拉，麻木不仁，放在哪儿

都能认出。他走之前的半个月，已经没说过一句话

一把生锈的铜锁，挂在喉咙。每天，当太阳爬上围墙

母亲就提一条小凳，坐在门边，绣花或者择菜

他也就跟着出来，墙角的破沙发上坐着，仿佛在发呆

有时是半天，有时是一个小时，有时只有十分钟

只要母亲起身回屋，他也就站起来，跟在后头

已经没有对话了，母亲偶尔说几句，也如落叶掉入空谷

有些晚上，难以成眠，他总要一再地确认

如果母亲就睡在隔壁，他才会在自己的房间，关了灯

陷入黑暗，安静地坐着，等母亲醒来

他走的那夜，两点半，母亲还听见他咳嗽

起身去看他，他正把马桶移到床边。五点半，母亲起床

摸他的脸，他已成仙。用尽一生，他都被活的念头

所牵引，终于将岁月消耗殆尽。并用死亡，一次性否定了

自己的意志。他真的不能再等？他真的

已经平静地接受了死亡？他真的只想静静地皈依

他耕种了一生的那方地块？也许，只有在那儿

世界才合身，才是他身体的尺寸。也许，在那儿

浮世才如他所愿，等于零或比零还小一点

那儿真的很小，尽管出殡的路，孝子再多

也跪不满。头顶的天，白云再多，也露出蓝；左边的河流

水淌了几万年，也还空着一半；右边的田，年年丰收

人依然饥寒。总有些空空之所，总有些设在空处的

广场和宫殿。总有些地方，大得可以单独使用邮政编码

却荒无人烟。伏跪于路，我已被弃；背土葬父

天地颠覆。招灵之时，我们像一条线

组合成血缘，他的躯体，由人抬着，在我们头顶上，先走

他的魂魄要慢一些，踩着我们的脊梁，没有重量

他多轻啊，轻如鸿毛。跨过我的一瞬，他似乎停了一秒

那一秒，我的鼻尖，我的心尖，抵在了地面

不知那秒是何年，天上人间；不知那秒逝去后

谁还会提着赶牛的皮鞭，把我打得皮开血绽。那一秒

他的最后一秒。那一秒，我的五脏庙，亮起了

他灵柩下那盏长明灯。之后，抬棺的人，一路西去

白茫茫的路上，只剩我的妹夫王绍平，端着酒

跪谢给他搬家的人："这是最后的时辰，请各位父老乡亲

走慢一点，他睡着了，走轻一点……"

我现在所处的世界，已经是另一个了。给他的墓上

添完最后一捧土，叩过三个头，转过身，我对朋友说

——诸位，以后见面，请别喊我编辑或诗人，我只是孝子

一个只能去菩萨面前，继续哭泣的，他的二儿子

我试图给他写句墓志铭："他的一生，因为疯狂地

向往着生，所以他有着肉身和精神的双重卑贱！"

这个念头终被放弃，我将它写在这里，如果可能

不妨作为我将来的墓志铭。他这个农夫

和我这个诗人，一样的命运，难以区分

《人民文学》2009年5期

半山妖

汤养宗

郑板桥有好诗：一间茅屋在深山，白云一半

僧一半；白云有时行雨去，回头却羡老僧闲。

我只有三寸硬土。是棵茶，取名"半山妖"

下山近人。上山近仙。在半山，妖得自得。

妖已万法皆空。在白云老僧间听雨，听经，也听鸟

鸟是好鸟，就是鸟语多。老问枯荣事，还提归去来。

《诗刊》2012年4月

父亲回到我们中间

谷 禾

春天来了，要请父亲回到

我们中间来

春天来了，要让父亲把头发染黑

把旧棉袄脱去

秀出胸前的肌肉，和腹中的力气

把门前的马车

在我们的惊呼声里，反复举起来

春天来了，我是说

河水解冻了，树枝发芽了

机器在灌溉了

绿蚂蚱梦见油菜花丛

当羞赧升起在母亲目光里，一定要请父亲

回到我们中间来

要允许一个父亲犯错

允许他复生

要允许他恶作剧

允许他以一只麻雀的形式，以一只跛脚鸭的形式

以一只屎壳郎的形式

或者以浪子回头的勇气，回到我们中间来

春天来了，要允许父亲

从婴儿开始

回到我们中间来

要让父亲在我们的掌心传递

从我的掌心，到你的掌心，她或者他的掌心

到母亲颤巍巍的掌心

春天来了，要让他在掌心

传递的过程中

重新做回我们披头散发的老父亲

《中国诗歌》2012年11月

一棵树在雨中跑动

叶延滨

一棵树在雨中跑动

一排树木在雨中跑动

一座大森林在雨中跑动

风说，等等我，风扯住树梢

而云团扯住了风的衣角

一团团云朵拥挤如上班的公交车

不停踩刹车发出一道道闪电

为什么，为什么，为什么？

哭泣的雨水找不到骚乱的原因

雷声低沉地回答：我知道是谁

当雷声沉重地滚动过大地

它发现它错了

所有的树都立正如士兵

谁也不相信有过这样的事情

—— 一棵树在雨中跑动……

《扬子江诗刊》2013年

敬告作者

　　为了保护有关作者的合法权益，我社曾多方联系本套书所涉及作者以便洽谈版权事宜。但遗憾的是，由于种种原因，截至本书付梓，仍未能与少数作者取得联系。现谨对尚未取得联系的作者表示歉意，并请有关作者或著作权人见书后，尽快致函作家出版社，以便及时奉寄样书和稿酬。

通信单位：作家出版社有限公司

通信地址：北京市朝阳区农展馆南里10号

邮政编码：100125

联系电话（传真）：010-65925260

图书在版编目（CIP）数据

新中国文学经典丛书·精选本　诗歌卷／孟繁华
主编 . —— 北京：作家出版社，2023.3
　　ISBN 978-7-5212-2180-0

　　Ⅰ . ①新… Ⅱ . ①孟… Ⅲ . ①中国文学 – 当代文学 –
作品综合集 ②诗集 – 中国 – 当代 Ⅳ . ①I217.1 ②I227

中国国家版本馆CIP数据核字（2023）第020046号

新中国文学经典丛书·精选本　诗歌卷

总　策　划：吴义勤　路英勇
主　　　编：孟繁华
出版统筹：汉　睿
责任编辑：翟婧婧
装帧设计：天行云翼·宋晓亮
出版发行：作家出版社有限公司
社　　　址：北京农展馆南里10号　　邮　　编：100125
电话传真：86-10-65067186（发行中心及邮购部）
　　　　　86-10-65004079（总编室）
E-mail:zuojia@zuojia.net.cn
http://www.zuojiachubanshe.com
印　　　刷：唐山嘉德印刷有限公司
成品尺寸：152×230
字　　　数：340千
印　　　张：23
版　　　次：2023年3月第1版
印　　　次：2023年3月第1次印刷
ISBN 978-7-5212-2180-0
定　　　价：60.00元